TRANSCOMUNICAÇÃO

CB028871

Pierre Weil, Stanley Krippner,
Michael Winkler, Amyr Amiden,
Harbans Lal Arora, Ken O'Donnell,
Roberto Crema e Jean-Yves Leloup

TRANSCOMUNICAÇÃO

O Fenômeno Magenta

Observações e interpretações de fenômenos paranormais
ocorridos na presença do sensitivo Amyr Amiden

EDITORA PENSAMENTO
São Paulo

Copyright © 2002 Fundação Cidade da Paz (FUNCIPAZ)

Todos os direitos reservados. Nenhuma parte deste livro pode ser reproduzida ou usada de qualquer forma ou por qualquer meio, eletrônico ou mecânico, inclusive fotocópias, gravações ou sistema de armazenamento em banco de dados, sem permissão por escrito, exceto nos casos de trechos curtos citados em resenhas críticas ou artigos de revistas.

O primeiro número à esquerda indica a edição, ou reedição, desta obra. A primeira dezena à direita indica o ano em que esta edição, ou reedição foi publicada.

Edição	Ano
2-3-4-5-6-7-8-9-10-11	04-05-06-07-08-09-10

Direitos reservados
EDITORA PENSAMENTO-CULTRIX LTDA.
Rua Dr. Mário Vicente, 368 – 04270-000 – São Paulo, SP
Fone: 6166-9000 – Fax: 6166-9008
E-mail: pensamento@cultrix.com.br
http://www.pensamento-cultrix.com.br

Impresso em nossas oficinas gráficas.

Sumário

Parte II
Relatos Pessoais

Parte III
Interpretação dos Autores

Importância deste livro para o progresso da ciência

Pierre Weil

Logo que conheci Amyr Amiden percebi a importância da fenomenologia, manifestada em torno dele, para a ciência em geral e mais particularmente para a psicologia e para a física, pois eu tinha debaixo dos meus olhos uma evidência *in vivo* da relação da consciência e da matéria, e muito mais da ação do espírito e da consciência sobre esta.

Assumo a inteira responsabilidade de afirmar a autenticidade dos fenômenos produzidos em torno da figura de Amyr Amiden. Tenho várias evidências indiscutíveis da independência dos fenômenos e da pessoa de Amyr. Como conto no meu livro *Lágrimas de Compaixão* num capítulo especial reservado a ele, houve um evento de materializações junto a uns cinqüenta participantes da Formação Holística de Base que se tornaram testemunhas de uma segunda materialização de óleo perfumado e de hóstias num cálice, onde o mesmo fenômeno tinha se produzido com a presença de Amyr. Neste segundo evento,

Amyr não se encontrava no local. E eu mesmo resolvi mostrar o cálice e descrever a experiência para minha turma no último momento antes dele entrar na sala de aula. Tive até que afastar a idéia de que eu estava começando a possuir os dons de Amyr.

Em outros eventos, fenômenos continuaram a se desenvolver 24 horas após a partida de Amyr e perfumes se manifestaram 10 minutos antes da sua chegada.

Jornais e revistas, ao longo dos anos, fizeram inúmeras reportagens sobre aspectos diversos dessa manifestação paranormal, mas não atinaram com a relevância dos fatos observados pela ciência.

É aliás bastante compreensível que pessoas leigas se deixem atrair pelo caráter extraordinário dos fenômenos. Só pessoa preparada pelos seus estudos pode ser levada a ter uma idéia das correlações que podem ser estabelecidas entre o que se passa com Amiden e várias disciplinas científicas.

Ver diante dos nossos olhos se materializar pedras semipreciosas ou mesmo diamantes, rosas com orvalho, livros, moedas ou dinheiro em papel nos fez emitir a hipótese de que estávamos diante do próprio processo aceleradíssimo da criação e formação da matéria a partir do espaço. Estamos diante da possibilidade de resposta a uma pergunta da física: Como, do aparente nada, pode surgir alguma coisa?

Acontece freqüentemente que as materializações efetuadas são o resultado de "transportes" de objetos existentes em outro lugar, qualquer que seja a distância.

Para o físico, surge a hipótese de que estamos diante de um dos paradoxos da física quântica que colocou em evidência a interação entre partículas sem sinal intermediário e de cada partícula de matéria ser simultaneamente todas as outras partículas, sem ter atravessado o campo que as separa.

Para o psicólogo, que é o meu caso, há um fato bastante perturbador:

A maior parte das materializações tem um significado pessoal para quem ela se destina.

Outro aspecto que me impressionou é que certos fenômenos acontecem antes de Amyr chegar ao local ou se desenvolvem depois de sua partida, às vezes muitos dias depois. Isto nos leva a supor que a presença de Amyr nem sempre é necessária. Mesmo na sua ausência, a fenomenologia parece se desenrolar sem qualquer atuação dele. Tudo se passa como se certas forças conscientes agissem de modo independente do Amyr, porém sendo necessária, na maioria das vezes, a sua presença.

Um fato relevante que Amyr me fez observar, é que a qualidade e a quantidade dos fenômenos produzidos se fazem maiores quando há um ambiente de amor e harmonia. Esta observação deixa Amyr bastante sensibilizado e entusiasmado.

De vez em quando ele me fazia apalpar o seu pulso no momento das materializações; um dia contei cento e vinte pulsações por minuto, quando o normal é setenta. Hoje sei que isto põe em risco sua própria saúde. Apesar das recomendações do seu cardiologista, devido a vários acidentes cardíacos, ele não tem nenhuma possibilidade de parar os fenômenos que o acompanham até no período noturno.

Tive oportunidade de visitá-lo várias vezes. Ele me recebeu sempre com muito afeto.

Além desta manifestação fisiológica, ele me afirmou que um sabor ácido era sentido na sua boca, ou melhor, na sua saliva, antes das manifestações. É assim que ele sabia que algo iria ocorrer. Mas ele não sabe o que vai ocorrer, o que é mais uma evidência de que ele não tem atuação sobre os fenômenos.

Este fato foi mais um fator que nos encorajou a realizar a presente pesquisa, já que inexistiam vaidade pessoal ou outros motivos que o levariam a provocar artificialmente os fenômenos.

Aos poucos nasceu na minha mente a hipótese de que seres de outras dimensões ou uma consciência invisível estavam querendo se comunicar conosco, através dessas manifestações.

Eu achava também que sozinho eu não poderia assumir a responsabilidade de uma pesquisa sobre o assunto, e que deveria convidar especialistas de várias disciplinas, pois este era um assunto inter e transdisciplinar. Essa pesquisa, pensei, deveria se realizar na UNIPAZ, para ser tratada em nível universitário, com toda a seriedade e o rigor exigido para um assunto de tamanha relevância.

Foi então que tive a idéia de reunir uma equipe de pesquisadores composta por psicólogos, parapsicólogos, antropólogos, médicos, e físicos. Achei que o próprio Amyr deveria fazer parte da equipe, para tratá-lo com todo respeito que ele merecia, e evitar, como infelizmente acontece muito nesse domínio, de considerá-lo apenas um objeto de estudo.

Com a autorização entusiasta de Amyr, resolvi aproveitar uma das vindas do Dr. Stanley Krippner, parapsicólogo mundialmente conhecido pelos seus estudos, mais particularmente de sonhos telepáticos, um dos diretores do Saybrook Institute da Califórnia, que vinha regularmente nos visitar com uma equipe de pesquisadores do Institute of Noetic Science, criado pelo astronauta Edgard Mitchell.

Resolvemos assinar um convênio entre as nossas duas instituições em torno de uma pesquisa sobre transcomunicação, intitulado *Programa Andorinha*, como primeiro projeto, o de Amyr Amiden, o qual mais tarde chamaríamos de Projeto Magenta, por motivos expostos no próprio texto do presente volume.

A título preliminar e para Stanley tomar pé do assunto foi resolvido que, na próxima visita dos pesquisadores do Institute of Noetic Science, Amyr seria apresentado ao grupo. Isto aconteceu, de fato, e foi objeto de um relato que se encontra na primeira parte do presente trabalho.

Por uma questão de companheirismo e de ética em relação a Amyr, resolvemos propor-lhe conhecer os membros da nossa equipe, dando-lhe assim a liberdade de aceitá-los ou de recusá-los.

Além disso, assumimos o compromisso de submeter todos os textos de relatos da nossa pesquisa à apreciação e aprovação de Amyr e demais membros da equipe.

A equipe inicial foi composta por Stanley, Amyr, Harbans Lal Arora, professor de Física da Universidade do Ceará, com a participação do psicólogo e antropólogo Roberto Crema, vice-reitor da UNIPAZ, da médica Ruth Kelson, colaboradora da UNIPAZ, e de Michael Winkler, da Universidade de Denver, no Colorado. Este último ficou encarregado das medidas do campo eletromagnético, assim como das apurações de ordem estatística. Para isso, contamos com a colaboração da Universidade de Brasília que nos emprestou o seu aparelho de medição.

A fim de obter informações sobre a estrutura e composição de alguns dos cristais e pedras materializados, pedimos a colaboração do professor Fernando Simão, do Centro Brasileiro de Pesquisas Físicas da Universidade Federal do Rio de Janeiro, que por sua vez pediu a colaboração de Darcy Motta Esquivel, Eliane Wainberg e Ariadne do Carmo Fonseca, do Centro Brasileiro de Pesquisas Físicas do Conselho Nacional da Pesquisa Científica e do Instituto de Geologia da Universidade Federal do Rio de Janeiro.

O leitor encontrará aqui uma explanação minuciosa de todas as observações e experiências realizadas.

Além disso, tivemos o cuidado de juntar a estas, os depoimentos pessoais de cada um dos pesquisadores, o que muito enriqueceu e compensou o aspecto científico, um tanto frio e impessoal, da pesquisa propriamente dita. Pela sua importância, como depoimento humano, acrescentamos o texto de Ken O'Donnell.

O presente livro constitui um documento original, raro e difícil de se obter. Por isso mesmo, esperamos que ele sirva de inspiração para outros trabalhos sobre transcomunicação através de materializações.

E muito mais, como indicamos no início desta introdução, achamos que esta pesquisa abre novos horizontes para a física quântica, que muito tem a dizer sobre o assunto.

A todos os pesquisadores, que deram generosamente o seu tempo e sua dedicação, os nossos calorosos agradecimentos. Nosso especial agradecimento à doutora Neuza Zaponni que muito nos ajudou na montagem deste livro, e a Rubens Eurípedes de Oliveira pelo seu trabalho de digitação.

Nossa gratidão é extensiva à colaboradora da UNIPAZ, Maria Stella Pacheco, por sua efetiva função Pontifex, construtora de pontes, da fase conclusiva do presente trabalho.

E, mais especialmente ainda, ao nosso querido amigo Amyr Amiden, a nossa gratidão profunda por sua paciência e generosa dedicação, nesta obra a serviço da Verdade e da Ciência. Ele o fez, colocando em risco a própria saúde, não podendo prosseguir as pesquisas, por proibição formal do seu médico.

O termo transcomunicação foi escolhido por traduzir, mais adequadamente, o conjunto de fenômenos descritos no presente volume. Escutei este termo em alguma palestra, sem saber que ele corresponde a uma verdadeira nova ciência. O recente livro de Clovis Nunes, sobre este tema, constitui uma boa resenha para quem queira se aprofundar neste assunto.

Ainda uma observação importante a respeito do título *Transcomunicação.*

Pensávamos, nesses 10 anos em que o livro foi escrito, ter criado esse termo, quando deparamos com o livro de Clóvis S. Nunes com o mesmo título, mas com subtítulo diferente. Examinando a questão, os fenômenos descritos no presente livro parecem se encaixar perfeitamente no conceito enunciado por Clóvis, e até o enriquecem.

Os leitores interessados nesse assunto lerão com proveito o livro de Clóvis S. Nunes, indicado na bibliografia.

Brasília, 25 de Janeiro de 2001

Pierre Weil

KRIPPNER, S., BERGQUIST, C., BRISTOW, J., CARVALHO, M., GOLD, L., HELGESON, A., HELGESON, D., LANE, J., PETTY, C., RAMSEY, G., RAUSHENBUSH, M., REED, H., & ROBINSON, S. (1994). *The magenta phenomena, part I: Lunch and dinner in Brasilia. Exceptional Human Experience*, 12, 194-206.

KRIPPNER, S., WINKLER, M., AMIDEN, A., CREMA, R., KELSON, R., LAL ARORA, H., & WEIL, P. (1996). *Physiological and geomagnetic correlates of apparent anomalous phenomena observed in the presence of a Brazilian "sensitive". Journal of Scientific Exploration*, 10, 281-298.

KRIPPNER, S., WINKLER, M., WEIL, P., LAL ARORA, H., KELSON, R., & CREMA, R. (no prelo). *The magenta phenomena, part II: 20 sessions in Brasilia*, March, 1994. *Exceptional Human Experience.*

WEIL, P., AMIDEN, A., KRIPPNER, S., LAL ARORA, H., WINKLER, M., KELSON, R. & CREMA, R. *The magenta phenomena, part III: An Hermeneutic and Phenomenological Investigation. Exceptional Human Experience.* Vol. 13, nº 2 — December, 1995

KRIPPNER, S., WINKLER, M., AMIDEN, A., CREMA, R., KELSON, R., LAL ARORA, H. and WEIL, P. (1996). *Physiological and geomagnetic correlates of apparent anomalous phenomena observed in the presence of a Brazilian "sensitive". Journal of Scientific Exploration.* 10(2): pp. 281-298.

Contexto da pesquisa

Stanley Krippner

Nosso trabalho com Amyr Amiden representa uma tentativa de estudar o que os cientistas chamam de "fenômenos paranormais". Em seu principal livro, *Realidades alternativas*, o psicólogo canadense Leonard George identificou alguns dos fenômenos descritos na literatura, por exemplo, visões de serpentes marinhas, alegações de fontes incomuns de energia, visões de objetos voadores não-identificados e encontros com seus ocupantes, assim como várias interações entre seres humanos e o meio ambiente que são difíceis de explicar por meio da utilização dos princípios da ciência convencional. Muitos cientistas investigaram esses fenômenos: físicos, zoólogos, médicos, astrônomos e psicólogos, entre outros.

O primeiro texto sobre o que se poderia denominar "psicologia da paranormalidade" foi escrito pelo psicólogo holandês Alfred Lehmann, em 1898. Tendo se doutorado em psicologia experimental, recebendo o título do psicólogo pioneiro alemão

Wilhelm Wundt, Lehmann especializou-se em percepção. Seu livro, intitulado *Superstição e magia*, centrou-se nas falhas de observação responsáveis pelos sistemas errôneos de crenças. Contudo, Lehmann admitiu que havia alguns fenômenos extraordinários que careciam de explicações científicas.

Passados alguns anos, o psicólogo norte-americano Joseph Jastrow reuniu vários de seus artigos, anteriormente publicados, em um livro intitulado *Fatos e fábulas na psicologia*. Esses artigos lidam com experiências paranormais, mas proporcionam explicações científicas convencionais. Jastrow sugeriu que a "fé" interfere na racionalidade e aplicou sistematicamente essa hipótese a várias experiências paranormais.

A Psicologia de fenômenos paranormais foi outro texto sobre o assunto, escrito pelo psicólogo canadense George Reed, em 1972. Esse livro discute fenômenos de atenção, crenças, opiniões, consciência, lembranças, reconhecimentos, percepções, imaginário e resolução de problemas que são "irregulares, desordenados ou incomuns". Em artigo pioneiro escrito em 1971, o sociólogo norte-americano Marcello Truzzi afirmou que fenômenos paranormais são assim designados porque contradizem o senso comum, o conhecimento científico ou o religioso; portanto, são "paranormais segundo o conjunto de verdades culturais geralmente aceitas".

O antropólogo norte-americano Roger Wescott sugeriu que a palavra "paranormal" fosse utilizada como um prefixo para o nome de qualquer disciplina que lide com eventos considerados extraordinários que são inexplicáveis pela teoria científica atualmente aceita. Dois psicólogos norte-americanos, Leonard Zusne e Warren H. Jones, utilizaram o termo em 1989 para prefaciar seu livro, *Psicologia da paranormalidade*. Segundo eles, "fenômenos psicológicos paranormais" são "aqueles comportamentos e experiências que parecem violar leis naturais".

A utilização da palavra "violar" por parte de Zusne e Jones difere substancialmente do termo "inexplicado" de Wescott no que se refere à vertente dominante da teoria científica e às suas respectivas "leis". Os autores desse livro concordam com Wescott que o fenômeno incomum não viola leis naturais, mas consideram que ele não conta com explicações. Nesse sentido, ecoam as palavras do cientista holandês Alfred Lehmann que, há mais de um século, sugeriu que alguns fenômenos incomuns teriam de esperar por explicações.

A palavra paranormal deriva do termo grego **anômalos**, que significa "irregular", "ímpar" ou "desigual", contrário a **homalos**, "igual" ou "comum". Portanto, uma "experiência paranormal" é "irregular", pois difere das experiências "comuns". É "ímpar", pois não é "igual" às experiências que são "pares" e "comuns". É "diferente", pois não conta com o poder de atrair a atenção dirigida a experiências "normais". Assim, uma "experiência paranormal" é incomum e/ou foge ao paradigma explanatório dominante. Nosso grupo de pesquisa sugere que é extremamente simples propor "erros de observação", "fé" ou "magia" como explicações para essas experiências, mas essas atribuições podem ser apropriadas em vários casos individuais. Tampouco pressupomos que essas experiências "violam leis naturais", neste caso, os paradigmas da psicologia científica.

O psicólogo russo, Boris Bratus, utilizou o termo "paranormalidade da personalidade" em seu livro de 1990 para descrever várias pessoas consideradas "paranormais" por outros escritores. Recusando-se a utilizar critérios estatísticos ou psicanalíticos para determinar o que é "normal", Bratus substituiu a terminologia e a conceitualização desumanizadoras. Contrariamente, ele concentrou-se em atividades incomuns envolvendo criatividade, valores e busca do significado que, no entanto, se adaptam aos indivíduos em questão.

Zusne e Jones apresentaram um ponto de partida útil. Comparando sangramentos de úlceras pépticas com os das estigmatas, escreveram: "A diferença entre o psicofisiologicamente normal e o paranormal é somente uma questão de incidência estatística e do contexto cultural em que o fenômeno ocorre." Sob a nossa perspectiva, as estigmatas que testemunhamos em nosso trabalho com Amyr Amiden são paranormais porque são raras, não porque alguns as considerem inexplicáveis. De fato, existem, no contexto dos paradigmas científicos em vigor, explicações psicológicas e psicofisiológicas para as estigmatas. Comparativamente, as chamadas experiências "telepáticas" são relativamente comuns. Entretanto, são paranormais porque ainda aguardam uma explicação completa.

Algumas organizações científicas e suas publicações representam o campo "interdisciplinar" que Wescott denominou "paranormalidade". A Sociedade de Investigação Científica e seu periódico *Revista de Pesquisa Científica* é, talvez, a mais conhecida e realiza conferências anuais. Por essa razão, decidimos publicar um relatório completo de nosso trabalho com Amyr Amiden nesse periódico. Também apresentamos nosso trabalho com Amiden em convenções anuais da Associação Parapsicológica, uma organização científica internacional especializada em paranormalidades de comportamento e de experiência registradas.

Marcello Truzzi ressalta que a "ciência da paranormalidade" não se preocupa com fenômenos metafísicos, sobrenaturais ou teológicos, mas somente com aquelas alegações que são testáveis, falseáveis e/ou verificáveis. A "ciência da paranormalidade" busca explicações parcimoniosas e o ônus da prova recai sobre quem relata e se espera que evidências de uma alegação sejam comensuráveis com seu grau de características extraordinárias. Requer pesquisa, em vez de opinião, e sustenta que a ausência de evidências não constitui evidência de ausência. Considerando que a ciência é um sistema aberto, a "ciência da paranormalidade" deve evitar erros do Tipo I (pensar que algo especial está acontecendo, quando na verdade não está) e do Tipo II (pensar que nada especial está acontecendo, quando algo raro realmente está ocorrendo). Dois membros de nosso grupo de pesquisa, Stanley Krippner e Michael Winkler, escreveram sobre "a necessidade de acreditar", mas "a necessidade de não acreditar" também pode ser igualmente perniciosa quando eventos intrigantes são observados, registrados ou interpretados.

Nosso objetivo central na compilação dos capítulos deste livro é dirigir a atenção a um número significativo de experiências humanas há muito negligenciadas, ignoradas ou até ridicularizadas. As experiências vivenciadas por Amiden são exemplos do que os pós-modernistas denominam "o outro", em outras palavras, esses fenômenos que se têm posicionado nas rupturas das estruturas construídas pelos cientistas contemporâneos. Em alguns casos, esses fenômenos foram excluídos da casa quando se concluiu a sua construção! Nestes capítulos incluímos nossas reações a Amiden e aos fenômenos paranormais que o cercam. De fato, os capítulos deste livro foram preparados sob a influência do "empirismo radical" de William James, que estendeu as fronteiras da investigação científica à totalidade da experiência humana.

James não foi o único membro da vanguarda científica que estudou experiências paranormais. Seu amigo, Theodore Flournoy, professor de psicologia na Universidade de Genebra, escreveu um aprofundado estudo de caso sobre um médium que falava com vozes diferentes, escrevia com letras de estilos diferentes e usava nomes diferentes. Em vez de expressar decepção ou aceitar as alegações, do médium, de contato com o "mundo dos espíritos", Flournoy defendeu a hipótese de múltipla personalidade e produziu uma interpretação sofisticada da base psicodinâmica das línguas imaginárias em questão. Um amigo de Flournoy, o psiquiatra suíço Carl G. Jung, coordenou um estudo central com outro médium, usando o teste de palavra-associação que ele tinha desenvolvido para rastrear a origem de nomes que ela (a médium) lhe dera, referentes não somente a seus "guias espirituais" mas a "forças" que guiam o universo. Jung interrompeu seu trabalho quando as atitudes da médium pareceram ser fraudulentas. Ambos os médiuns, coincidentemente, relataram visitas ao planeta Marte!

Pesquisas com pessoas que relatam experiências paranormais têm demonstrado pouca relação com formas óbvias de psicopatologia. A atribuição de significado pessoal a experiências paranormais tem sido abordada por autores como o sociólogo norte-americano James McClenon que usa o termo "fenômenos extraordinários", sugerindo que estimularam o desenvolvimento de ideologias religiosas, e pela parapsicóloga norte-americana Rhea A. White, que se refere a elas como "experiências humanas excepcionais", apontando para seu potencial de transformação na vida das pessoas. Por essa razão, publicamos três artigos sobre nosso trabalho com Amiden no periódico de White, *Experiências Humanas Excepcionais.*

O que é paranormal em uma cultura pode não ser paranormal em outra. O que é paranormal no contexto de um paradigma não o é necessariamente sob o enfoque de outro paradigma. Na nossa opinião, já é hora de o Brasil, com sua tradição secular de ditados populares e movimentos espirituais que enfatizam experiências humanas excepcionais, entrar no discurso. Artigos como os de Amiden podem proporcionar *insights* importantes e necessários para o futuro da pesquisa, da teoria e da prática. Esperamos que este livro forneça o registro de nossas tentativas de trabalhar com Amiden, e também estímulo para o trabalho que ainda deve ser realizado.

REFERÊNCIAS

BRATUS, B. S. (1990). *Anomalies of personality.* Orlando, FL: Paul M. Deutsch Press.

FLOURNOY, T. (1963). *From India to the planet Mars: A case study in multiple personality with imaginary languages.* New Hyde Park, NY: University Books. (Trabalho original publicado em 1990.)

GEORGE, L. (1995). *Alternative realities: The paranormal, The mystic and the transcendental in human experience.* Nova York: Facts on File.

JAMES, W. (1961). *The varieties of religious experience: A study in human nature.* Nova York: Collier. (Trabalho original publicado em 1902.)

JASTROW, J. (1900). *Fact and fable in psychology.* Boston: Houghton Mifflin.

JUNG, C. G. (1970). *On the psychology and pathology of so-called occult phenomena. In The collected works of C. G. Jung* Vol. 1, Princeton, NJ: Princeton University Press. (Trabalho original publicado em 1902.).

KRIPPNER, S., & Winkler, M. (1996). The "need to believe". In G. Stein (org.), *The encyclopedia of the paranormal* (pp. 441-454). Amherst, NY: Prometheus Books.

LEHMANN, A. (1898). *Aberglaue und Zauberei [Superstition and magic].* Stuttgart: Enke.

MCCLENON, J. (1994b). *Wondrous events: Foundations of religious beliefs.* Baltimore: University of Pennsylvania Press.

NUNES, Clovis S. *Transcomunicação.* Sobradinho, Ed. Edicel, 1999, 5ª edição.

REED, G. (1972). *The psychology of anomalous experience.* Londres: Hutchinson University Library.

TRUZZI, M. (1971). *Definition and dimensions of the occult: Toward a sociological perspective. Journal of Popular Culture,* 5, 635-646.

_____ (1996). "Pseudoscience". In G. Stein (org.), *Encyclopedia of the paranormal* (pp. 560-575). Amherst, NY: Prometheus Books.

WESCOTT, R. (1980). *Introducing anomalistics: a new field of interdisciplinary study.* Kronos, 5, 36-50.

WHITE, R. A. (1995). *Exceptional human experiences and the experiential paradigm. ReVision,* 18(2), 18-25.

ZUSNE, L., & Jones, W. H. (1980). *Anomalistic psychology.* Hillsdale, NJ: Lawrence Eribaum.

PARTE I

Relatos das Observações e Experiências

Visita a Brasília de um grupo de pesquisadores do Instituto de Ciências Noéticas dos EUA

Stanley Krippner, Carlisle Bergquist, June Bristow,
Margarida de Carvalho, Lois Gold, Arlene Helge-
son, Don Helgeson, Jo Lane, Catherine Petty,
William Petty, Gloria Ramsey, Marylu Raushenbush,
Howard Reed, Sereta Robinson

Em 15 de março de 1994, um dos autores, Stanley Krippner (S.K.) esteve em Brasília, a capital do Brasil, trabalhando com um grupo de sete pessoas. A investigação do grupo centrava-se no estudo de presumíveis fenômenos paranormais que ocorriam na presença de um "sensitivo" brasileiro, Amyr Amiden (A.A.), eventos sobre os quais ele alega ter pouco controle. Às 16h55, um outro membro do grupo de pesquisa observou uma faixa brilhante, de cor magenta, no lado direito da folha de fax que ele tinha recebido naquele dia pela manhã. A faixa tinha aproximadamente 45 cm de altura e 5 cm de largura. A primeira linha do fax mencionava "uma pedrinha". A primeira frase completa dizia: "Mais uma pedrinha foi colhida na grande mandala do universo holístico além dos limites do plano central."

Faixas coloridas não são um fenômeno incomum nas folhas de transmissão de fax, mas nenhum dos membros do grupo lembrou-se de ter visto a faixa brilhante anteriormente. No entanto, suas atenções devem ter focado um evento ainda mais inusitado: um pequeno cristal apareceu na mesma parte daquela folha de fax, em condições presumivelmente paranormais, apenas alguns minutos antes. Alguns dias depois, esse cristal foi identificado por um joalheiro de Brasília como sendo um diamante. Os investigadores decidiram nomear-se o "Grupo Magenta" e referir-se aos eventos ocorridos durante a presença de Amyr Amiden como "fenômenos magenta".

O envolvimento de S.K. com Amyr data de 17 de fevereiro de 1993, quando ele e Margarida de Carvalho (M.C.), uma psicóloga brasileira, guiaram um grupo de 20 pessoas por um *tour* pelo Brasil. Essa viagem foi patrocinada pelo Instituto de Ciências Noéticas (*Institute of Noetic Sciences — IONS*) e incluiu quatro dias em Brasília, onde eles passaram uma tarde com o Presidente da Fundação Cidade da Paz, Pierre Weil, um renomado psicólogo e antropólogo. Doze membros do grupo, Carlisle Bergquist (C.B.), June Bristow (J.B.), Lois Gold (L.G.), Arlene Helgeson (A.H.), Don Helgeson (D.H.), Jo Lane (J.L.), Catherine Petty (C.P.), William Petty (W.P.), Howard Reed (H.R.), Gloria Ramsey (G.R.), Marylu Raushenbush (M.R.), e Sereta Robinson (S.R.) posteriormente enviaram a Krippner relatos dos notáveis eventos que ocorreram ainda no Brasil. Assim, decidiram construir uma narrativa coletiva dos eventos observados pelo grupo. Para não ocupar espaço, as iniciais C.B., J.B., L.G., A.H., D.H., S.K., C.P., W.P., H.R., G.R., M.R. e S.R. foram usadas para fazer referências aos autores desses relatos. M.R. enviou notas de seu diário, e G.R. enviou um resumo de sete páginas da transcrição de sua fita cassete e uma cópia da fita em si. S.K. tinha uma transcrição dessa fita feita por alguém que não participou da viagem do IONS. S.K. também tomou notas e posteriormente reconstruiu os eventos da tarde e da noite de acordo com os relatos dos participantes do grupo do IONS. As narrativas citadas foram mantidas ao pé da letra, corrigidas apenas em relação à ortografia e à gramática, com exceção do resumo da fita e da transcrição, os quais foram editados para manter a continuidade e a clareza do texto. Nos relatos dos membros do grupo, quando aparecem nomes e/ou sobrenomes, eles não foram trocados por iniciais. Todos os nomes grafados com iniciais são identificados no Apêndice.

O uso das observações e de relatos na primeira pessoa, no campo da parapsicologia, tem vantagens como desvantagens (Haraldsson & Houtkooper, 1994; Murphy, 1969). Em primeiro lugar, a falta de controle nas pesquisas de campo e acontecimentos espontâneos torna difícil a avaliação dos fenômenos, se não impossível; isso é especialmente válido com A.A., cujos fenômenos são imprevisíveis e supostamente fora de seu controle volitivo. Em segundo lugar, a precisão dos relatos em primeira pessoa deve ser colocada em dúvida, como atestam vários estudos de testemunhos visuais (p. ex., Deffenbacher, 1992; McKenna, Treadway, & McCloskey, 1991). Isso é exemplificado por meio dos relatos contraditórios feitos em relação a A.A. e os fenômenos associados ao nosso encontro com ele. Em terceiro lugar, alguns dos membros do grupo do IONS tiveram a oportunidade de compartilhar seus relatos entre si antes de enviá-los a S.K. Isso veio aumentar a precisão, pois as pessoas têm a tendência de deixar que seus relatos sejam influenciados pelas instruções (p. ex., Spanos, Burgess, Cocco, & Pinch, 1993). Finalmente, o não compartilhamento dos relatórios deve ter impedido que novas lembranças fossem evocadas, assim como o compartilhamento do material transcrito deve ter distorcido as lembranças das pessoas. De qualquer forma, cada pessoa que participou recebeu, de S.K., uma síntese das demais narrativas podendo adicionar e revisar conforme sentissem ou lembrassem. Pouquíssimos valeram-se dessa oportunidade, insistindo na convicção de que seu relatório original era preciso.

OCASIÕES EM QUE OS FENÔMENOS PARANORMAIS FORAM OBSERVADOS

No Restaurante da Fundação

C.B. escreveu:

Eu estava sentado a pouco mais de um metro atrás do Amyr no refeitório da Cidade da Paz. Eu escutei o Dr. Weil dizer: "Aí vem outra vez." Essa afirmação foi feita ao ter escutado algo cair e quicar dentro da sala. Logo depois, Stanley Krippner... andou em volta e recolheu do chão uma pequena pedra preta polida, coberta de barro. Eu observei com interesse enquanto eles discutiam. Naquele momento, ninguém de nosso grupo, exceto o Dr. Krippner, sabia que Amyr provocava materializações, como por exemplo, era capaz de produzir objetos físicos por meio de habilidades mediúnicas. O Dr. Krippner perguntou a Amyr se ele sentia que o fenômeno ocorreu por meio do trabalho de alguma força espiritual ou entidade que operava por meio dele. O Dr. Krippner mencionou o nome "Cristo" em seu diálogo. Instantaneamente, Amyr começou a sangrar nas palmas e no dorso de suas mãos. Uma marca vermelha-escura também apareceu em sua testa. Esses fenômenos, chamados estigmas, supostamente indicam que o indivíduo identifica-se tão fortemente com Cristo que expressa as marcas da crucificação. Interessante é o fato de Amyr ser muçulmano, apesar de apresentar suas crenças de forma ecumênica.

H.R. começou o relato da tarde escrevendo:

Ao chegarmos à UNIPAZ, fomos conduzidos ao restaurante e tivemos um excelente almoço vegetariano.

O almoço estava terminando quando, em pé, próximo a S.K., vi um senhor estranho ali sentado. De repente, algo caiu no chão provocando um leve barulho. Parecia ser um pequeno pedaço de barro de cerca de 5 cm x 2,5 cm x 2,5 cm. Eu não prestei muita atenção, mas Stan pegou-o do chão e encontrou uma pedra lisa... com cerca de 1,3 cm de diâmetro... A conversa com o estranho senhor, que estava conversando com Stan na hora do almoço, passou a ser sobre Jesus Cristo. Após a menção de Jesus, manchas vermelhas apareceram no dorso e na palma de cada uma das mãos daquele senhor. Fomos convidados a observar essas manifestações do estigma. O estranho senhor nos foi apresentado como sendo Amyr Amiden. Ele é de altura mediana e tem uma barba grisalha. Ele nasceu no Brasil, no seio de uma família islâmica.

J.L. observou que "primeiramente parecia ser um machucado nas duas mãos, e depois sangue apareceu na superfície das mãos e na testa. Não havia nenhum corte na pele". D.H. acrescentou: "Eu havia escutado sobre a ocorrência de estigmas em indivíduos, mas nunca tinha presenciado isso. Eu observei uma mancha vermelha do tamanho de uma moeda no meio do dorso de cada mão com uma leve evidência de sangue em uma mão e em um polegar. Eu também notei uma mancha vermelha no centro da testa de Amyr." S.K. estava relutante em pedir permissão para testar o fluido, mas o cheiro, mesmo a uma certa distância, lembrava sangue. Depois de pedir a permissão de Amyr, S.K. convidou o grupo para passar, em fila, na frente dele para observar o fenômeno. Pierre Weil pediu a S.K. para inspecionar o guardanapo de papel que ele tinha usado durante o almoço. S.K. pegou o guardanapo ao lado do seu prato, observando que parecia que ele tinha sido dobrado em nove partes, cada qual contendo um singular e quase idêntico padrão retorcido. Weil disse que esse "padrão holográfico" era típico dos papéis que pareciam "mudar" na presença de Amyr. W.P. observou uma pedra quicar perto da porta do refeitório mas não a pegou.

Na sala de palestras

H.R. continuou:

> Depois fomos para a sala de palestras. Weil falou-nos sobre a origem e objetivos da Cidade da Paz, em seguida o encontro foi aberto para as questões sobre o Amyr. Aparentemente, seu pai e sua mãe eram "sensitivos"... Todos os seus irmãos e irmãs são "sensitivos", mas apenas ele e seu avô materno eram capazes de provocar "materializações", ou seja, o aparecimento paranormal de objetos de fonte não facilmente identificável. Amyr afirma fazer "viagens astrais", podendo viajar quando quiser e voltar com informações que podem ser checadas posteriormente. Ele disse que houve relatos sobre sua bilocação, mas ele não tem controle ou consciência quando isso acontece. Ele tem poderes de cura e já curou alguns leprosos no estado inicial da doença, mas não em estado avançado. Luzes são geralmente vistas em sua presença quando as "materializações" acontecem.

Como o grupo do IONS estava sentado em círculo, Pierre Weil fez circular uma taça ornamentada que tinha sido colocada na mesa da sala de palestras; ele a descreveu como um cálice de comunhão. C.P. lembrou-se de que "havia água na taça quando eu a segurei no círculo". M.R. lembrou-se de que "várias pessoas alegam que não havia água na taça quando elas a inspecionaram. No entanto, elas alegam ter sentido cheiro de sangue e observaram o que acreditaram ser sangue seco no cálice, bem como no tecido que cobria a mesa". C.B. escreveu que Pierre Weil "mostrou-nos um cálice que Amyr tinha segurado um pouco antes de nós chegarmos. Parecia haver sangue cobrindo uma cruz em um lado do cálice. O Dr. Weil explicou que quando Amyr pegou o cálice, o sangue brotou da cruz. Eu o peguei para dar uma olhada mais de perto e, depois de ter olhado bem as marcas dentro e fora, eu o fiz circular para o resto do nosso grupo. Quando ele voltou às minhas mãos, havia dentro dele várias hóstias que não estavam lá quando ele o deixou nas minhas mãos. Até onde eu sei, o cálice esteve nas mãos, ou ao alcance das vistas, de nosso grupo todo o tempo". Nesses relatos há duas possíveis divergências. M.R. relatou que havia sangue seco "dentro do cálice", enquanto C.B. lembrou-se de sangue "em um dos lados do cálice"; C.P. relatou o aparecimento paranormal de "água" dentro do cálice e C.B. o aparecimento de "hóstias".

G.R. lembrou-se de que Amyr mostrou ao grupo uma cópia de um livro francês, de 1987, *Notre Quatrième Monde (Our Strange World)*, de autoria de Janine Fontaine, o qual continha um relato de cerca de 30 páginas sobre as materializações de Amyr Amiden. G.R. depois pediu uma cópia desse livro ao editor em Paris. Ela também se lembrou de que A.A. mostrou um álbum de fotografias documentando suas atividades, incluindo algumas fotos de Amyr com a atriz norte-americana Shirley MacLaine, que aparentemente tinha voado até Brasília para o encontrar.

M.R. escreveu em seu diário que Amyr

> É alguns centímetros mais alto do que eu, talvez uns 15 cm. Barba farta e macia ficando grisalha, começo de calvície no topo de sua cabeça, cabelo esmeradamente penteado na altura do pescoço. Ele trabalha no serviço público, mas está de licença por motivos de saúde — angina, pulso acelerado, coração. Nos finais de semana realiza vários trabalhos sociais.

Na Cachoeira

M.R. se lembrou:

Ao deixar a sala, Gloria notou uma pequena pedra marrom cair perto dela e presumiu que era a pedra de Stan que tinha caído de seu bolso. Stan disse a ela que não era a sua pedra, e eles contaram a Amyr sobre o incidente. Amyr respondeu que ele tinha sentido uma intensa "energia" em seus braços, mas não sabia o que tinha se manifestado. Margarida de Carvalho, que estava em pé ao seu lado, comentou que ela tinha sentido uma "energia" incomum nos braços dele no momento em que a pedra apareceu.

A próxima parada era a cachoeira e, no caminho, Bill Petty fez um desvio para o refeitório para recolher a pedra que ele tinha visto mais cedo. Quando Bill mostrou ao Amyr a pedra, Amyr a pegou em sua mão e fechou o punho. Quando ele a abriu, havia duas pedras, uma das quais foi pega por Martha Davenport. A palma direita de Amyr parecia estar com uma coloração amarelada e um cheiro de canela parecia exalar de sua mão direita.

De acordo com a perspectiva de W.P.: "Na cachoeira da Cidade da Paz, eu dei a Amyr a pedra que tinha sido materializada depois do almoço. Amyr a pôs em sua mão e fechou o punho. Quando ele a abriu, uma segunda pedra tinha se materializado." Esse terceiro relato foi feito por D.H.: "Mais tarde, na cachoeira, Amyr estava segurando a ágata que Bill tinha escutado cair no refeitório. Ele fechou sua mão sobre a ágata e imediatamente a abriu de novo, e havia mais uma ágata de cor amarelada. Eu estava apenas a uns sessenta centímetros de distância naquele momento e estava olhando atentamente."

A.H. acrescentou:

Bill Petty mostrou a Amyr uma pedrinha branca arredondada, e disse-lhe ter escutado ela cair no restaurante e ter voltado para pegá-la. Amyr Amiden começou a massagear a pedra apertando os dedos. Daí a 30 ou 40 segundos ele abriu a mão e havia duas pedras na sua palma. Ele pegou a amarela e a deu a Martha que tinha vindo observar do lado direito de Bill... Bill perguntou a Amyr Amiden se ele tinha materializado a pedra e ele disse que sim. Quando Amyr Amiden devolveu a pedra branca para o Bill, ele lhe disse que seu coração estava muito aberto e que ele, Amyr Amiden, deveria aprender a fechá-lo às vezes para preservar sua energia. Ele, então, mostrou-nos a palma de sua mão esquerda e estava manchada de uma cor marrom-amarelada por toda a palma e em seus dedos. Um cheiro de canela ficou evidente para todos aqueles que estavam agrupados em volta. Eu dei a ele um cristal que eu tinha acabado de comprar na loja da universidade. Ele o segurou um pouco e pediu-me para embrulhá-lo em um pedaço de papel. Encontrei um lenço de papel e envolvi o cristal. Ele disse que eu deveria mantê-lo perto de mim pelos próximos dias, pois ele possivelmente se transmutaria. Dois dias depois nada tinha acontecido.

Uma observação final foi feita por L.G.:

Eu tinha pegado uma pequena ágata branca que parecia estar deslocada em meio ao cascalho avermelhado da área de fora do refeitório. Pensei que fosse uma pedra estranha e a esqueci. Mais tarde, na cachoeira, alguém deu a ele uma ágata que tinham encontrado no chão e perguntaram-lhe se ele a tinha materializado. Ele a segurou contra seu coração, o cheiro de canela foi exalado, e ele alegou estar sentindo batimentos cardíacos acelerados, confirmando que, sem dúvida, era a pedra materializada. Quando ele abriu a mão, para a surpresa de todos, havia duas pedras nela.

Revendo esses cinco relatos, é evidente que há uma concordância, no geral. Os observadores concordaram que:

a) W.P. mostrou a Amyr a pedra que ele tinha recolhido depois do almoço;

b) uma segunda pedra apareceu na mão de Amyr. Três dos observadores acrescentaram que,

c) esse fenômeno foi acompanhado por um cheiro de canela. Dois observaram que, d) a primeira pedra era branca;

e) a segunda pedra era amarela, que; f) Amyr alegou que a pedra tinha se "materializado" e que,

g) Amyr fez um comentário sobre o seu coração.

Há também várias diferenças nos relatos.

a) Dois participantes relataram ter notado pedras incomuns fora do refeitório; em um dos relatos a pedra foi descrita como "pequena" e "marrom" e, em outro, como "uma ágata branca". Em ambos os casos as pedras foram pegas, então poderia haver duas pedras diferentes.

b) um membro do grupo do IONS disse que Amyr "começou a massagear a pedra apertando os dedos". Daí a 30 ou 40 segundos ele abriu sua mão e lá havia duas pedras. Mas outro observador disse que Amyr "a pôs em sua mão e fechou o punho. Quando ele a abriu, uma segunda pedra tinha se materializado". Uma outra pessoa lembrou que Amyr "fechou sua mão sobre a ágata e imediatamente a abriu de novo, e havia mais uma ágata de cor amarelada".

c) uma outra pessoa alegou que "a palma direita de Amyr parecia estar com uma coloração amarelada", enquanto outra disse que "a mão esquerda... dele... estava manchada de uma cor marrom-amarelada por toda a palma e em seus dedos".

d) um observador alegou que a segunda pedra "foi pega por Martha Davenport", mas outro alegou que Amyr "a deu a Martha".

De acordo com o diário de M.R.:

Martha tinha recebido uma pedra de Amyr que se duplicou. D.H. tinha escutado o que ele pensou ser um pedregulho quando estávamos no refeitório e, depois da discussão sobre materialização, voltou lá e era uma pedra semipreciosa. De acordo com um espectador, quando Amyr deu uma das duas pedras para Martha, ela disse que preferia ganhar uma esmeralda. De acordo com o relato de D.H., quem recuperou a pedra foi W.P.

Nossa sessão à tarde com Amyr não foi gravada nem em áudio nem em vídeo, contudo há uma concordância, de forma genérica, em relação à maioria dos fenômenos paranormais que ocorreram. Mas não houve consenso; há diferenças nas lembranças sobre detalhes menores, mas, ainda assim, importantes.

No Restaurante do Hotel

Naquela noite Amyr aceitou nosso convite para jantar com o grupo em nosso hotel. M.R. lembra-se de que:

No caminho para o jantar, Gloria achou uma outra pedra. Pierre Weil explicou que tal manifestação é um "xerox" ou "fax" da "matriz", que permanece no seu local original. Stan acrescentou que isso poderia representar o princípio holográfico — uma espécie de bilocação. Pierre relatou um incidente que ocorreu na presença de Amyr. Um discípulo do mestre francês Phillip de Leon estava falando com Amyr quando a cópia de um livro raro de 200 páginas, escrito por de

Leon, entrou voando pela janela. Pierre explicou que quando um objeto se materializa, ele tem um significado para a pessoa que o descobre... Gloria é cética, mesmo tendo achado uma pedra mais cedo naquela tarde... Amyr observou: "Isso não ocorreu por acaso. Isso era para você." Pierre disse a ela: "Eles estão nos dando lições".... Amyr Amiden geralmente trabalha com verde porque verde é a obra elementar da natureza.

M.R. continuou:

"Em algum momento no início do jantar, duas outras pedras se manifestaram." H.R. lembrou-se de que: "Mais tarde, Amyr Amiden chegou para o jantar no hotel e amavelmente aceitou demonstrar suas habilidades. Ao todo, cerca de nove pequenas pedras aparentemente caíram do teto no chão ou nos guardanapos das pessoas. Elas... eram polidas e estavam quentes." D.H. acrescentou: "No jantar... eu estava sentado com uma pessoa — Margarida de Carvalho — que estava entre mim e o Amyr. Quando me sentei, Maggie pegou uma ágata que tinha acabado de cair em seu guardanapo. Olhei para baixo e havia uma ágata verde no chão, a qual peguei para mim." De acordo com L.G., "no jantar outras ágatas caíram sobre as pessoas sentadas perto de Amyr". De acordo com A.H., "pedras começaram a aparecer no colo das pessoas. Maggie pegou uma. Então, Don achou uma pequena pedra verde ao seu lado direito... Talvez outras pessoas também acharam; não me lembro".

M.R. escreveu em seu diário:

Ele tinha maravilhosos e grandes olhos castanhos. Sentei-me à sua direita durante o jantar e quando tomei coragem para olhar para ele e dentro de seus olhos, logo me senti atraída e completamente conectada a ele. Eu sentia como se o conhecesse, mas também sou atraída pelo que considero pessoas "trágicas". Maggie M.C., que estava sendo sua intérprete, estava à sua esquerda. Na maior parte do tempo, ele estava de frente para ela... No jantar, como eu disse, sentei-me à direita de Amyr, mas não falei com ele, a não ser por contato visual. Ele disse a Maggie que eu o acalmei. Ele produziu mais pedras no chão, no colo das pessoas, etc. Eu não recebi nenhuma pedra e não pedi nada. Essa afirmativa é de alguma forma contraditória com a alegação de L.G. de que "outras ágatas caíram nas pessoas sentadas próximas a Amyr durante o jantar".

Nessa ocasião, G.R. gravou em fita cassete a conversa e D.H. a gravou em fita de vídeo. G.R. lembrou-se de que:

Quando a fita começou a gravar, Amyr estava contando sobre um incidente que tinha acontecido naquele hotel tempos atrás — inaugurado naquela época pelo então presidente do Brasil. Naquela época, na presença de Amyr, apareceu sangue num cristal. Na ocasião, alguém perguntou sobre o significado daquele acontecimento. Amyr tinha respondido — quando o evento ocorreu — que ele acreditava que aquilo simbolizava o sofrimento que o povo brasileiro experimentaria. Amyr contou-nos como se confirmou a precognição — exatamente no dia seguinte, o povo brasileiro teve o dinheiro de suas contas bancárias confiscado.

Pergunta: *Quem é o seu mentor?*
A.A.:   Ele é... um homem nascido no Oriente Médio, na região dos Cárpatos, numa antiga cidade palestina mencionada na Bíblia.

Pergunta: *Todos nós temos esse tipo de mentor? Em caso afirmativo, como podemos encontrá-lo?*

A.A.: Sim, nós todos temos mentores. Bem cedo pela manhã, nós podemos pedir um sinal. Nós podemos pedir por uma manifestação em nome da Divina Presença.

Pergunta: *Eu não sou muito de acordar cedo. Eu sou uma pessoa notívaga, então eu não vou encontrar meu mentor.*
A.A.: Talvez você possa ficar acordado até o amanhecer.

Pergunta: *De onde esses mentores vêm?*
A.A.: Eles dizem que vêm de uma quarta dimensão. Eles são mais inteligentes, mais avançados do que nós.

Pergunta: *Esse é o tipo de entidade de onde vêm as informações para todos aqueles que as canalizam?*
A.A.: Eu recebo informações de mais de um tipo de entidades. Nem todas elas são os homens verdes que eu vi quando criança. Eles não são "entidades". Eles são "energias".

Pergunta: *Todos têm essas habilidades?*
A.A.: Sim, mas eles me explicaram que muitas pessoas ainda são "minerais". Nem todo mundo aqui é desenvolvido. Algumas pessoas não sentem nada, não entendem, não têm intuição. São como sementes que morrem; as sementes não se tornam árvores.

Pergunta: *Os mentores vindos da quarta dimensão são pura energia?*
A.A.: Algumas vezes eles são pura energia e eu posso sentir o cheiro dessa energia. Outras vezes eles se materializam.

Pergunta: *Uma pessoa pode, como minha mãe, que é pura energia, materializar-se?*
A.A.: Sim, ela pode materializar-se. Ela é uma energia de luz, mas ela pode se materializar.

Pergunta: *Tem algo que eu possa fazer para aumentar minha vibração para que eu possa ser capaz de vê-la?*
A.A.:   Eu não sei. Mas você deve pensar sobre os bons momentos que teve com sua mãe, não os ruins.

Pergunta: *O que você faz para crescer espiritualmente?*
A.A.:   Eu vivo só, então eu tenho tempo para ler a Bíblia e o Alcorão.

Pergunta: *Minha filha está em outra dimensão. Você pode me ajudar a compreender isso?*
A.A.:   Você pode pensar em ajudar crianças nesta dimensão. A primeira coisa que você deve fazer quando voltar aos Estados Unidos é procurar crianças que precisam de ajuda.

Papel Alumínio Transformado?

Na fita cassete há uma exclamação de um membro do grupo do IONS: "Ele estava segurando um pedaço de papel e o papel transformou-se em pedra!" Isso é seguido por um grito de Amyr: "Martha! Martha! Eu tenho algo para você! Você queria tanto isso!" De acordo com M.R., "uma esmeralda apareceu na mão do Amyr. Ele estava segurando um pedaço de papel alumínio que se transformou em uma pedra preciosa".

L.G. lembrou-se:
Martha veio e, como que brincando, perguntou-lhe se ele poderia produzir uma esmeralda para ela. Amyr começou a trabalhar com o papel alumínio que cobria o pacote de manteiga, moldando-o, esfregando-o e energizando-o com as mãos. Em meia hora, uma esmeralda materializou-se em sua mão.

De acordo com D.H.,

Pouco depois ele estava dizendo que sentia que algo estava para acontecer. Amyr abriu a mão e havia uma pedra verde lapidada que parecia ser uma esmeralda. Ela foi dada a Martha, que tinha manifestado o desejo de uma esmeralda, um fato que pode ou não pode ter sido comunicado a Amyr. De acordo com outros membros de nosso grupo, esse desejo tinha sido comunicado a Amyr por M.D.

A.H. acrescentou:

Don estava entre mim e Maggie na mesa; Amyr estava do seu lado direito. Mas eu fiquei atenta aos eventos durante o jantar da melhor forma que pude. Eu o vi abrir a mão e a esmeralda estava entre o seu polegar e o seu indicador. Ele estava brincando com um pequeno pedaço de papel alumínio durante a longa espera para o jantar e agora eu me lembro dele esfregando aqueles dois dedos enquanto falava. Então, ele chamou a Martha e deu-lhe a pedra porque ela a tinha pedido na cachoeira.

O relato do diário de M.R. aponta que:

Amyr pegou um pequeno pedaço de papel alumínio, do tamanho de uma unha pequena, e ficou achatando-o na mesa entre nós. Ocasionalmente, ele erguia os seus olhos, como se estivesse procurando por algo. Veio a se saber que há uma espécie de entidade ou pessoa ajoelhada, vestida com um manto marrom, para quem ele estava olhando. Maggie disse que ele estava tentando produzir uma esmeralda para Martha porque ela queria uma. Eu tentei transferir energia para ele, já que ele estava parecendo precisar disso e de estímulo. De repente, o papel alumínio do embrulho da manteiga estava em sua mão e, quando ele a abriu, havia a esmeralda.

C.B. observou que "uma esmeralda apareceu subitamente na mão de Amyr depois de vários minutos brincando com o papel alumínio". H.R. descreveu o fenômeno com estas palavras:

Amyr Amiden massageou outro pedaço de papel alumínio para Martha e ele transformou-se em uma pedra com a aparência de uma esmeralda... Martha também me contou que antes do jantar no hotel, quando algumas pedras tinham caído, ela estava conversando com o Amyr. Ele perguntou qual era o seu signo astrológico. Ela respondeu "Gêmeos". A pedra de Gêmeos é a esmeralda e ela disse, sorrindo, "por favor, me dê uma esmeralda". Amyr respondeu que ele o faria. Isso ele o fez no jantar no hotel, aparentemente transformando o papel alumínio em uma esmeralda.

A transcrição da fita de áudio acrescenta alguns detalhes a essas descrições, especialmente um diálogo entre Amyr e Martha Davenport (M.D.)

M.D.: *A esmeralda é linda!*

A.A.: Você a queria tanto. Eu segurei o pedaço de papel até ele se transformar em uma pedra. Na ordem cósmica, todos nós temos um número, e o seu é 22.

M.D.: *Isso significa algo?*

A.A.: Não, é apenas o número de sua identidade cósmica.

M.D.: *As pessoas se dividem em números?*

A.A.: Eu não sei.

M.D.: *Obrigada.*

A.A.: Você deve incrustar a esmeralda em prata, não em ouro.

M.D.: *Então está bem! Eu não teria pensado nisso.*

A.A.: Quem quer que vá fazer algo com esta pedra deve incrustá-la em prata, não em ouro.

M.D.: *Eu sinto algo muito bom vindo de você, muito meigo e boa energia.*

A.A.: Em que mês você nasceu?

M.D.: *Eu sou geminiana.*

A.A.: Tenha a pedra dos nascidos em Gêmeos!

Nesse caso, há consenso quanto ao fato de que Martha pediu por uma esmeralda antes do jantar — embora uma pessoa se lembre do pedido na mesa do jantar. Há quase um consenso de que A.A. trabalhou em um pedaço de papel alumínio que foi pego da embalagem de manteiga antes de a pedra preciosa aparecer; A.A. chamou-o de "pedaço de papel" na gravação da fita de áudio, mas essa foi uma tradução para o português. Alguns narradores descrevem a pedra preciosa como uma esmeralda, outros como "uma pedra verde lapidada". Vários meses depois, Martha visitou S.K. em São Francisco; ela mostrou a ele a pedra preciosa, agora engastada em um anel. Ela também lhe disse que um joalheiro tinha verificado que era uma esmeralda e mostrou-lhe o certificado de avaliação do joalheiro que a estimava em US$375,00. O certificado a descrevia como "uma esmeralda solta", "lapidada, semitransluzente", "verde meio escuro", "9,7 x 6,0 x 3,7 mm".

S.K. estava sentado na extremidade da mesa no hotel em Brasília e não tinha testemunhado o aparecimento paranormal da esmeralda. Assim como ele não testemunhou o aparecimento paranormal de um grupo inteiramente diferente de objetos. L.G. declarou: "Ele produziu do papel alumínio em sua mão uma pequena imagem, do tamanho do papel, primeiramente o Menino Jesus de Praga; depois, outro santo do qual eu não consigo me lembrar. Ambos tinham um significado para as pessoas de quem era o papel alumínio com o qual ele estava trabalhando."

J.B. acrescentou:

Becky, sentada à minha direita, deu ao Amyr uma de suas pedras embrulhadas no papel alumínio da embalagem de manteiga... Amyr o colocou na palma de sua mão e estava esfregando-o. Um papel dobrado com uma imagem do "Menino Jesus de Praga" apareceu. Amyr deu-o a Marylu, que estava sentada próxima a ele. Marylu disse-lhe que ele tinha vindo de Becky e, assim, ela deveria recebê-lo.

S.R. observou: "Eu o vi 'manifestar' uma 'velha pintura a óleo' de um santo vindo de um pedaço de papel alumínio."

No diário de M.R. está relatado:

Becky, do outro lado da mesa, entregou a Amyr o papel-embrulho da manteiga e pediu algo. Ela fez algum comentário para Amyr como "Agora eu não quero apressá-lo". Antes, ele tinha produzido uma cópia da famosa pintura, o "Menino Jesus de Praga". O papel estava amassado e dobrado duas vezes. Ele entregou-me aquilo e eu disse, "Não, é da Becky". Ele disse-me novamente que era para mim, mas vários de nós dissemos que era o papel alumínio da Becky.

Fazendo uma retrospectiva, G.R. disse, "Becky não tinha uma idéia de quem era o seu 'santo', e mesmo depois de ter sido identificado como o Menino Jesus de Praga, ela parecia não ter idéia do seu significado".

A.H. também descreveu o fenômeno:

Eu peguei o papel alumínio do meu pacote de manteiga e passei para ele, e disse a ele que queria algo também. Mas quando ele às vezes pegava nossos pedaços, rapidamente os colocava de volta na mesa e voltava ao papel alumínio no qual estava trabalhando. De repente, ele entregou a Becky uma imagem pequenina de um santo do século XV ou XVI. Ela não tinha sido dobrada e era apenas de cerca de 4 cm por 2,5 cm, em cor marrom-escura... Ela tinha lhe perguntado se todos nós temos essas habilidades... Ela então perguntou se todos nós temos um mentor e ele assinalou que "sim". A pintura foi apontada como sendo o mentor de Becky.

H.R. lembrou-se de que:

Um outro pedaço de papel alumínio transformou-se num pedaço de material parecido com um cartão com um santo retratado em um lado com uma auréola. Mais tarde, algo caiu no chão. Quando alguém o pegou, era parecido, mas retratando São Francisco de Assis em oração, ajoelhado diante de um altar. Ele também tinha uma auréola.

M.R. situa esses fenômenos depois do jantar, no salão de conferências do hotel: "Maggie acha um pedaço de papel dobrado no chão. Quando ele é aberto, uma imagem de um santo, talvez São Francisco, é revelada."

D.H. também situa esses fenômenos no salão de conferências:

Outro pergaminho idêntico com uma imagem diferente apareceu. Becky disse que ele veio esvoaçando pelo ar, apesar de eu, na verdade, não o ter visto se materializar. Esse pergaminho parecia ser destinado a Gloria que tinha alguma lembrança da sua infância com aquela figura na frente.

G.R. escreveu:

O pensamento passou pela minha cabeça... aquela imagem do "Menino Jesus de Praga" era, sem dúvida, destinada a mim. Durante minha juventude, minha mãe manteve uma estátua, igual àquela imagem, do "Menino Jesus de Praga" em cima de nosso televisor. Becky e algumas outras pessoas tinham dado o papel alumínio para o Amyr; eu não, então parecia lógico que aquela imagem não fosse para mim. No entanto, eu estava sentada diretamente do outro lado da mesa em frente ao Amyr e estava ocupada conversando com ele, junto a vários outros, no momento da materialização. Eu observo isso simplesmente porque a identidade das imagens deve ser, sem dúvida, significativa, apesar de o próprio Amyr não estar ciente de qualquer significado ou mesmo do destinatário das materializações

W.P. recorda-se:

Ele estava recebendo o papel alumínio que cobria o pacote de manteiga e começou a esfregá-lo entre os dedos. Logo um medalhão de pergaminho com a imagem de São Francisco surgiu em sua mão, o qual ele deu para Becky. Aparentemente, Becky tinha alguma conexão com São Francisco que era significativa. Pelo que sei, Amyr nunca tinha sido informado daquilo anteriormente. W.P. continuou: "No jantar eu estava sentado na mesa em uma posição diagonalmente oposta a Amyr. Por um longo período de tempo ele ficou manipulando algo entre o polegar e o dedo indicador. Eu observei que ele tinha rasgado um pedaço do papel alumínio que cobria a manteiga, que parecia ser o que ele estava manipulando. Ele trabalhou por um tempo, moldando-o na forma da imagem que depois se materializou... Eu acredito que a imagem dada a Becky materializou-se antes que nós deixássemos a sala de jantar. Eu não a vi se materializar e não sabia que isso tinha acontecido até a Becky dizer que tinha recebido aquilo."

A fita cassete foi difícil de transcrever nesse momento porque muitas pessoas falavam ao mesmo tempo, mas algumas frases podem ser compreendidas do diálogo entre A.A., M.R. e

Becky Johnson (B.J.), complementadas pelos comentários feitos por G.R. e M.C.

M.R.: *Posso ter uma?*

B.J.: *Aqui está um pouco mais de papel alumínio. Eu vou lhe dar o começo da outra. Aqui está a semente de uma pedra.*

A.A.: Eu sei que tem algo que está vindo, mas eu não sei o que vai ser. Eu vejo uma imagem de um homem de joelhos e o que quer que esteja vindo está ligado a um remédio.

M.R.: *É um santo! Que bonito!*

A.A.: É para você!

M.R.: *Mas o papel alumínio é da Becky, e não meu.*

A.A.: Algo mais vai vir para você.

B.J.: *Devemos esperar por mais alguma coisa?*

A.A.: Você pode ficar com esta aqui.

B.J.: *É uma imagem! É linda! Oh, meu Deus! Eu posso segurá-la?*

A.A.: Sim, você pode segurá-la. Ela veio para você. Você pode plastificá-la e colocá-la em uma moldura. Algo mais está vindo.

B.J.: *Você quer dizer, colocá-la entre dois pedaços de plástico?*

A.A.: Sim, é como um pedaço de escultura.

B.J.: *Eu tenho uma amiga que é católica muito devota, e se ela não sabe, acredite, ela vai descobrir!*

G.R.: *É o "Menino de Praga", o menino Jesus.*

M.C.: *Sim, é mesmo: eu sabia que eu tinha visto isso em algum lugar.*

G.R.: *Nós costumávamos ter essa estátua sobre nossa televisão.*

M.C.: *É o nosso mentor. É Jesus, o Menino Jesus.*

A.A.: Ele é um mentor para uma cura.

B.J.: *Eu posso pedir pela cura de alguma outra pessoa?*

A.A.: Sim, mas você é a ponte. Você deve ser a intermediária. Você pode ajudar outras pessoas.

B.J. *Há algo mais vindo?*

A.A.: É uma mensagem para você, Becky, você estava perguntando sobre mentores. Então, talvez esta seja para você, de seu mentor.

B.J.: *Agora, se eu for para a Igreja Católica, e eu disser quem é, eu vou saber. Eu tenho uma amiga que... vai descobrir.*

A.A.: A letra "H" significa algo para você?

B.J.: *Nada que eu possa me lembrar.*

G.R.: *Você não tem nenhum neto ou filho com este nome?*

B.J.: *Não, não tenho.*

B.J.: *Eu sinto cheiro de melão! O único nome que me vem à cabeça é de um artista de quem eu comprei uma imagem não faz muito tempo.*

G.R.: *A imagem era significativa!*

B.J.: *A imagem era significativa para mim. Ele é um camarada muito sensível.* (De acordo com G.R., nesse momento B.J. deu a Amyr uma ponta de flecha e pediu a ele que a energizasse.)

B.J.: *Eu tenho um cristal especial.*

A.A.: *Eu vou energizar este cristal. Eu vou começar a fazê-lo esta noite. Eu vou fazer isso três vezes.*

B.J.: *Essa imagem é muito especial para mim, e eu não sei o porquê, exceto que é bonita e que eu sinto que tem um significado especial.*

Além da imagem, um outro objeto apareceu em condições paranormais. De acordo com A.H.:

A.A. tinha pegado quatro ou cinco pedaços de papel alumínio do pacote de manteiga e começou a brincar com eles — amassando-os juntamente, enrolando-os num tubo em espiral de cerca de 8 a 10 cm de comprimento. Havia outros pedaços também — também enrolados em espiral. Ele pediu a Marylu para estender o braço e ele dispôs aquilo ao longo do dorso do braço dela. Marylu estava sendo muito doce e gentil, e realmente contida — todo o tempo fitando-o com seus olhos expressivos... Nós tínhamos acabado de jantar e já tínhamos comido a sobremesa, e começamos a circular olhando para as manifestações na luz atrás dele. As pessoas começaram a se agrupar em torno das costas dele quando ele começou a manipular novamente o papel alumínio. Ele pediu a Maggie que nos dissesse para sair, já que estava perdendo energia. Eu sentei-me à esquerda de Maggie onde Don tinha se sentado, e continuei a observá-lo de perto. De repente, comecei a ver um fino cordão de ouro ornamentado surgir, de cerca de 2 cm, de sua mão esquerda. A mão direita estava esfregando a outra mão e agora os pedaços de papel alumínio em espiral estavam na mesa na frente dele. Imóvel, apenas a sua mão direita movia-se para pegar esses pedaços. Percebendo que algo estava acontecendo, eu peguei as máquinas fotográficas e posicionei-me do outro lado da mesa, à sua frente, para ter uma visão melhor.

Quando o cordão de ouro foi ficando mais e mais comprido, eu tirei fotos com as minhas duas câmaras, e peguei o Amyr Amiden também; tirei três fotos com ele. Então, todo o cordão de uns 13 a 15 cm surgiu e ele o colocou em volta do pulso da Marylu.

C.B. resumiu os eventos desta forma:

Amyr estava brincando com pedaços de papel alumínio que tampavam as caixinhas de manteiga servidas com o jantar. Ele enrolou vários deles juntos e os colocou em volta do pulso da Marylu, dizendo a ela que gostaria de fazer para ela uma pulseira. Ela respondeu: "Eu adoraria se ela fosse de ouro." Nos minutos seguintes, Amyr esfregou e modelou o papel alumínio, ocasionalmente olhando para cima. Ele contou depois que ele vê uma entidade com uma túnica marrom ajoelhada acima dele, de quem ele recebe força e orientação. Durante esse tempo, ele parecia estar sob considerável pressão. Marylu sentiu o coração de Amyr e descobriu que "ele estava batendo desenfreadamente", como ela o descreveu. Tanto Marylu como Maggie tomaram o pulso de Amyr por um tempo nesse momento e expressaram preocupação quanto à sua segurança... A pulseira tomou forma lentamente. Algumas pessoas relataram terem visto o papel alumínio ficar mais rígido enquanto ele continuava a trabalhar com ele entre os dedos. Steve afirmou que o papel alumínio parecia ficar mais amarelo com o passar do tempo, enquanto ele o passava para a frente e para trás, entre os dedos. Assim, essa etapa parecia revelar gradualmente que a pulseira estava prestes a se materializar. Assim, no momento final, de acordo com o relato de Marylu, ele, de repente, começou a separar o papel alumínio em suas mãos para revelar uma pulseira de ouro com desenhos árabes que se repetiam em volta dela. Amyr pôs os retoques finais no objeto, arredondando e alisando as pontas da pulseira com os dedos e depois a colocou em volta do pulso de Marylu.

L. descreveu os ornamentos da pulseira como "flores com um estilo árabe antigo".

Em seu diário, M.R. escreveu:

As pessoas começaram a dar a ele o papel que embrulhava a manteiga... Ele assentou aquilo em meu pulso e Maggie disse que ele queria me dar uma pulseira. Eu, de repente, disse que queria que ela viesse. Eu tinha pensado que eu adoraria uma pulseira de ouro. Ele enrolou o papel alumínio e o jantar veio. Depois, ele adicionou mais papel alumínio na espiral. Havia pelo menos quatro pedaços. Nesse momento, as pessoas agruparam-se em volta, atrás, com as máquinas fotográficas preparadas, e ele pediu que as pessoas se afastassem, pois estava ficando claustrofóbico. Maggie pediu que passássemos energia para Amyr, e aqueles que estavam ao seu redor assim o fizeram. Muitas vezes ele parecia preocupado e levantava os olhos. Ele pediu-me para sentir o seu coração que estava batendo de uma forma louca, e depois o pulso. Maggie e eu, cada uma de nós tinha uma mão sobre o seu pulso. Eu estava começando a desejar que ele não estivesse se exibindo e que não se sentisse obrigado a fazer aquilo. Ele tinha também colocado mais papel alumínio para aumentar o comprimento. Eu estava um pouco nervosa pelo seu estado de saúde. Então, de repente, parecia que ele estava separando o papel alumínio em suas mãos... e havia uma pulseira com desenhos árabes que se repetiam em torno dela. Ele alisou (ouro fino) e tocou as duas extremidades para arredondá-las e colocou-a em meu pulso. Todo mundo estava ficando muito excitado, tirando fotos e exclamando. Ele queria que tirassem fotografias. Ele estava obviamente satisfeito — em grande parte porque nós estávamos tão excitados. Eu estava impressionada, encantada, lisonjeada. Várias pessoas disseram que suas mãos (de Amyr) começaram a tremer. Eu acho que ele tinha um gosto azedo na boca. Don Helgeson gravou isso em vídeo. Amyr também tinha trazido uma câmara de vídeo... Ele disse que eu deveria mandar colocar o fecho na pulseira e usá-la sempre. Ele disse que a pulseira diz ou representa que "A vida é da cor que você pinta. A vida pode ser flores dependendo de nossas vibrações".

L.G. recorda-se de que:

Todo mundo começou a dar a Amyr Amiden o papel alumínio de suas embalagens de manteiga. Ele enrolou dois pedaços numa tira fina, perguntando a Marylu se ela queria uma pulseira e, de forma brincalhona, colocou o cordão no pulso dela. Durante um certo tempo, ele a segurou em sua mão, depois fez uma espiral, e depois acrescentou mais papel alumínio para aumentar o comprimento. Ele disse que podia sentir aquilo se formando e, como uma escultura, levaria tempo. Por um longo período de tempo nada aconteceu. Ele periodicamente trabalhava nela e a deixava sobre a mesa, direcionava sua atenção para o outro papel alumínio que ele tinha pegado, ou na conversa... Ele tinha me pedido para tirar várias fotos dele segurando a tira de papel alumínio antes que ele produzisse uma espiral com ela, como se ele estivesse esperando que algo acontecesse em breve. Só depois de um tempo, talvez uma hora, durante a qual ele pareceu estar "energizando" a espiral em suas mãos e deixando-a sobre a mesa, ele abriu as mãos e havia pedaços quebrados do papel alumínio e uma pulseira de ouro entalhada. Eu não me recordo se testemunhei o exato momento da materialização ou se virei a cabeça em resposta à gritaria do grupo.

W.P. observou:

Marylu apontou para o seu pulso pedindo uma pulseira. Amyr olhou para seu pulso de forma que ele deve ter visto seu tamanho exato. Amyr continuou a manipular o papel alumínio para ter o tamanho apropriado da pulseira que se materializou. Ele alternadamente trabalhou na forma da pulseira e no desenho... No final da refeição eu saí e só vi a pulseira de Marylu no dia seguinte.

D.H. lembra-se de que:

Ele começou brincando com várias tampinhas de manteiga e as enrolou, em um comprimento de cinco a oito centímetros. Ele começou esfregando-as prolongadamente e colocando-as em volta do pulso da Marylu. Ela estava sentada próxima a ele. Isso durou um tempo, esfregando e enrolando o papel alumínio e colocando-o em volta do pulso. Eu filmei a maior parte disso em vídeo. Na expectativa de que algo estivesse prestes a acontecer, muitas pessoas juntaram-se em sua volta. Amyr parecia estar estressado e Maggie, de acordo com o que me lembro, checou seu pulso e informou um rápido batimento cardíaco. Alguém me disse para não ficar atrás dele porque isso poderia distraí-lo. Eu fiquei de pé para operar a câmara de vídeo. Depois de alguns minutos, observei que suas mãos ainda estavam trabalhando em um rígido pedaço de metal dourado. Eu não vi realmente o aparecimento, mas observei que o papel alumínio enrolado ainda estava lá, mas, agora, havia o pedaço de metal dourado.

S.R. escreveu:

Eu estava sentado do outro lado da mesa, três ou quatro pessoas depois, à esquerda dele. Eu não podia escutar muito bem a conversa, mas ocasionalmente eu olhava e via o que ele estava fazendo... Eu vi ele dobrar e torcer esses pedaços de papel alumínio formando um pedaço longo e curvo, e alguém se referiu a isso como uma "pulseira", "trabalhando" isso um pouco mais, um olhar "preocupado" em seu rosto. Depois de um tempo levantei-me para deixar a mesa — eu estava de pé atrás dele à sua esquerda — e o vi suavemente e com facilidade retirar o papel alumínio que envolvia essa pulseira — na verdade, ele quase se despregou da pulseira. Eu disse, "Meu Deus — uma pulseira de cobre!" Depois de alguns minutos, examinando-a mais de perto, eu vi que era de ouro e gravada ou entalhada com bonitos desenhos.

H.R. afirmou que: "Durante o jantar, muitas pessoas deram a Amyr Amiden o papel alumínio que cobria as rodelas de manteiga. Ele pegou dois ou três desses e os moldou com seus dedos por vários minutos e transformou-os em uma pulseira de ouro; '18 quilates' estava impresso do lado de dentro e havia um padrão repetido do lado de fora." H.R. reproduziu o desenho e comentou: "No dia seguinte... eu soube que a pulseira de ouro tinha sido levada a um joalheiro para ser avaliada. Ele disse que não era de 18 quilates, mas sim ouro de 14 quilates. Ele também disse que o desenho era um antigo desenho árabe e que, naquele tempo, ouro de 18 quilates era geralmente gravado como 18 quilates." Vários meses depois, M.R. visitou S.K. em São Francisco e mostrou a ele o cordão de ouro que tinha sido incrustada em um atraente bracelete. Um joalheiro o avaliou em cerca de US$400,00.

Examinando essa série de relatos, há consenso de que em seguida ao aparecimento da esmeralda, três outros itens apareceram em condições paranormais, duas imagens religiosas e um cordão de metal. Esses eventos aconteceram durante ou depois do jantar, no mesmo momento em que as pessoas estavam conversando, comendo ou bebendo. Talvez não deva ser surpreendente que os relatos sejam diferentes em relação a vários detalhes: a) o primeiro item que apareceu foi descrito de forma variada como o Menino Jesus de Praga, um "santo do século XV ou XVI", um "santo", um "santo com uma auréola"; b) esse item foi descrito como uma "imagem", "uma pintura a óleo antiga" feita de um "papel dobrado", um "pedaço de material parecido com cartão" ou um "medalhão de papiro"; c) o segundo item que apareceu foi identificado como "um outro santo" ou — de acordo com várias pessoas — como "São Francisco de Assis"; d) foi dito que esse item foi feito de um papel que foi tanto "dobrado" como "não dobrado", tendo aparecido perto de M.C. e sido dado a G.R. ou a B.J.

A transcrição da fita de áudio indica que a imagem do Menino Jesus foi dada a B.J., o que contraria a afirmação de W.P. de que B.J. recebeu a figura de São Francisco. Nenhuma informação sobre a imagem de São Francisco pôde ser extraída da fita de áudio; isso vem sustentar as afirmações de M.R. e de D.H. de que a imagem apareceu depois do jantar. Algo semelhante também é descrito no relato de G.R.

O cordão de metal, depois de identificado como sendo de ouro, foi descrito de maneira parecida em todos os relatos, ainda que as divergências sejam inquietantes. Uma pessoa alegou que A.A. perguntou a M.R. "se ela queria uma pulseira", mas quatro pessoas alegam que ele simplesmente "pediu a Marylu que estendesse o braço" de forma que ele pudesse ajustar os pedaços de papel alumínio "em torno do pulso de Marylu", então "moldá-los por vários minutos", apesar de alguém ter estimado o tempo como "quase uma hora". Um observador alegou que "Marylu apontou para o seu pulso pedindo uma pulseira". A transcrição da fita de áudio não inclui uma conversa sobre a pulseira, mas é intercalada com comentários sobre a imagem do Menino Jesus, indicando que os eventos não ocorreram numa seqüência definida. Quando estava medindo o pulso de M.R. com o papel alumínio, A.H. lembrou-se de que A.A. o colocou "ao longo do dorso do braço dela", enquanto C.B. lembra que ele foi colocado "em torno do pulso de Marylu".

A.A.:   O que quer que venha é seu. Algo vai acontecer em 30 segundos.

G.R.:   *Por que você não faz uma pulseira?*

A.A.:   Por que você pensou em uma pulseira?

A.H.:   *Nós pensamos em uma pulseira porque você colocou o papel alumínio em volta do pulso da Marylu.*

A.A.:   Está apenas começando a tomar uma forma.

C.P.: *Você já fez alguma coisa desaparecer?*

A.A.: Não se preocupe; nada vai desaparecer. Você não precisa segurar sua pulseira.

M.D.: *Por favor, não fiquem aqui. Ele precisa de espaço. Não, não fiquem aqui. Esperem, pois ele não sabe quem vai ser o próximo.*

A.A.: Gloria, seu chakra da testa está aberto. Escreva três pedidos. Medite sobre eles à noite e eu vou estar com você onde estiver. Sente-se direito quando você for meditar e mantenha a sua boca aberta. Você é muito intelectual, muito racional. Você é capaz de analisar as pessoas muito bem.

A.A.: Maggie, você tem espiritualidade. Você pede de uma maneira humilde, de uma forma muito doce. Você tem um jeito natural de pedir. Seus olhos pedem.

A.A.: Agora eu estou me concentrando em ouro. Pronto! Está aberto! Você pediu ouro!

M.R.: *Sim, eu pedi. Eu estava imaginando se você poderia fazer uma pulseira de ouro para mim.*

A.A.: É uma mensagem cósmica para você! Uma mensagem cósmica para você!

M.R.: *Oh, que bonita! Vejam o* design! *Inacreditável!*

M.R. lembrou-se de que "algumas pessoas fizeram referências a um cheiro de canela, contrastando com o cheiro de menta que foi sentido mais cedo. Em minha mente, me perguntei se ele poderia fazer uma pulseira de ouro". Fazendo uma retrospectiva, o relato de M.R. e a transcrição sugerem que ela não tinha pedido uma pulseira de ouro, mas sim que a sugestão original partiu de G.R. — naquele momento A.A. já estava trabalhando com o papel alumínio e colocando-o sobre o braço de M.R. É de especial interesse a alegação de L.G. de que quando A.A. abriu as mãos, "havia pedaços quebrados do papel alumínio e uma pulseira de ouro entalhada", e a alegação de S.R. de que "eu o vi suavemente e com facilidade retirar o papel alumínio que envolvia essa pulseira".

C.B. descreveu que A.A. "começou a separar o papel alumínio em suas mãos para revelar uma pulseira de ouro". Esses relatos indicariam que pelo menos parte do papel alumínio ainda estava presente quando a pulseira foi primeiramente observada.

Mais tarde naquela noite, o grupo encerrou a sessão no salão de conferências do hotel onde, de acordo com H.R., "A.A. nos fez formar um círculo dedicando muito tempo à perna do Stan, que tinha sido quebrada em um acidente de carro. Então, nós formamos um círculo em volta de Stan com o intuito de curá-lo". M.R. lembra-se de que "muitas outras pedras quicaram no chão". J.B. recorda-se de que "nossa sala de encontro tinha sido mudada. Eu fui um dos primeiros a chegar. A maior parte do grupo estava a cerca de 10 metros atrás de mim e escutei uma pedra cair. Havia um quartzo rosa aos meus pés". De acordo com D.H., "mais tarde, naquela noite, depois da sessão de cura, eu vi outra ágata cair no chão. Naquele momento, Amyr estava a cerca de três metros de distância e preocupado com outra coisa".

Na sala de reuniões do hotel, segundo G.R., "eu vi a imagem de Maggie cair no chão... Maggie observou que esse santo — qualquer dos dois, São Francisco ou São Domingos — era especial para ela". M.C. escreveu: "São Francisco é especial para mim porque ele é o protetor ou o "santo preferido" do meu filho, que é fazendeiro e ama os animais, como o santo."

Outras pedras foram descritas por L.G.:

Mais tarde naquela noite, como a conversa estava acabando, eu desejei uma pedra de cura e pedras começaram a cair do teto e as pessoas iam pegando. Senti-me desapontada porque algumas pessoas tinham duas e eu não tinha nenhuma. Não verbalizei esse sentimento, mas quando peguei meu casaco na mesa, havia um cristal redondo e claro embaixo dele. Na minha empolgação, descrevi o que tinha acontecido. Alguns minutos mais tarde, Sereta recebeu uma pedra e ela contou que, tendo me escutado relatar sobre meu desejo, ela também desejou uma pedra.

H.R. viu A.A. no dia seguinte, recordando-se de que "ele parecia saturado e extenuado. Ele disse que todo mês, por cerca de dez dias, desenvolve uma grande sede e necessita beber muita água, chá ou café. Ele perde peso e sua saliva fica com um gosto ácido. Durante esse período, fenômenos acontecem e ele tem um grande poder de cura". J.L. observou que Amyr tinha dito a ela que ele "renova" a sua vida rezando, tomando banhos freqüentemente, bebendo grande quantidade de água e cercando-se da cor verde. De acordo com as anotações de S.K.:

Cada mês algo assim acontece... Antes que os fenômenos aconteçam, a saliva fica com gosto ácido... Ele bebe muita água, chá forte e café, perde peso, toma muitos banhos e duchas... Os sinais de que os fenômenos ocorreriam começaram uma semana antes de quarta-feira e duraram por 10 dias. Sangue apareceu em suas pernas na forma de manchas, que depois desapareceram. Durante esse período ele faz curas consideráveis.

EM RETROSPECTIVA

Apesar de vários membros do grupo do IONS terem tomado notas durante a viagem, os relatos, nos quais esta narrativa é baseada, foram escritos vários meses depois que os membros do grupo tinham voltado para a América do Norte. O intervalo de tempo pode ter contribuído para algumas das discrepâncias, e em futuros projetos dessa natureza deve-se procurar obter relatórios escritos imediatamente após cada evento. Para alguns eventos (p. ex., a esmeralda da Martha), os relatos foram notavelmente congruentes; para outros (p. ex., a aparição de duas imagens religiosas) os relatos variam dramaticamente. Isso sem dizer que total confiança em relatos baseados em "testemunho visual" é a receita para se obter informação falha.

A noção de um "banco de memória", no qual tudo o que uma pessoa vivenciou é permanentemente armazenado, não tem sido aceita pela pesquisa psiconeurológica. Além do mais, a memória é frágil e fluida. Até certo ponto, memórias complexas são armazenadas "holograficamente" no cérebro como um todo. Ademais, memórias simples obtidas por cada sentido são associadas com diferentes partes do neocórtex cerebral; como, por exemplo, o som no córtex auditivo, a visão no córtex visual. O tempo, o lugar e o modo como a memória tem origem são primariamente associados com os lóbulos frontais. Quando a memória é reconstruída, provavelmente perde-se a clareza em relação ao tempo e ao local onde ela foi adquirida. Além do mais, as pessoas fazem inferências para preencher as lacunas do que elas tinham esquecido (Goleman, 1994). Esses fatores precisam ser considerados ao se avaliar os relatos do grupo do IONS; imagens visuais, sons, cheiros, tempo e lugares, são todos elementos envolvidos nesses relatos e são questionáveis com o passar do tempo.

Dawes (1994) adverte que "a memória retrospectiva é uma reconstrução", que é influenciada pelas idéias presentes de uma pessoa sobre o que está sendo lembrado. Há também a tendência a se esquecer o assunto com o passar do tempo. Ademais, a memória de um incidente é mais fraca quando seguida por um incidente semelhante do que quando seguida de incidentes diferentes, (Deffenbacher, 1992, pp. 380-381). O aparecimento da esmeralda de Martha foi único, e houve consenso geral sobre o que ocorreu. Os incidentes nos quais as pedras polidas e imagens de Jesus e São Francisco apareceram foram semelhantes; por isso, esses relatos divergem sobre detalhes importantes, tanto em relação à seqüência quanto à descrição. Outros fatores-chaves são a capacidade de um evento em provocar excitação em sua testemunha e a complexidade do evento. Novamente, o aparecimento da esmeralda de M.D. foi um evento simples, dramático — e os relatos das testemunhas foram congruentes. O aparecimento do cordão de ouro de M.R. foi dramático, mas aconteceu em vários estágios; houve consenso geral nos relatos das testemunhas, mas foram demonstradas diferentes nuances.

Outros fatores que afetam a precisão dos relatos das testemunhas são a oportunidade para observar e a duração de sua exposição ao evento. Associados a esses fatores estão a acuidade da testemunha para ver e ouvir, a confiança em suas lembranças, e a sua visão tendenciosa em relação ao incidente e suas implicações (Loftus, 1979). O fato de se pedir características tem demonstrado influenciar os relatos das pessoas baseados em suas percepções em situações experimentais (p. ex., Spanos, Burgess, Cocoo & Pinch, 1993). Nos relatos sobre o cordão de M.R. e seu aparecimento, pode-se observar que os indivíduos sentados mais próximos de M.R. e de A.A. forneceram mais material do que aqueles que foram expostos menos tempo ao acontecimento.

Apesar das condições acima mencionadas, o pedido de relatos de testemunho visual ofereceu aos participantes uma oportunidade de fazer uma avaliação retrospectiva do almoço e do jantar que tiveram com A.A. em Brasília. É essa tentativa de buscar sentido nos fenômenos paranormais que White (1990) acredita que fará a parapsicologia se juntar à "segunda revolução" em psicologia cognitiva de Bruner (1990), o "esforço para estabelecer o significado como o conceito central da psicologia" (p. 2). Depois, Bruner questiona a importância da curiosa ênfase da psicologia no indivíduo, uma suposição que Sampson (1983) sustenta que deveria ser "desconstruída" porque o indivíduo, acima de tudo, é uma criação histórica e do meio. Na sociedade tradicional de Bali, o "self" é definido pelas relações institucionais e intrapessoais nas quais as pessoas se envolvem. Entre os aborígines tradicionais da Austrália, uma pessoa é encarada como uma rede de relações específicas (Edge, 1994). A interpenetração da pessoa e da cultura, descrita por Sampson (1983, pp. 141-142), é o ponto mais complexo da psicologia cultural (Shweder, 1991). Esse modelo interativo do "self" é mais compatível, filosoficamente, com um escopo parapsicológico do que com a idéia individualizada do "self" de acordo com a psicologia ocidental convencional.

Para Bruner, a psicologia cultural é organizada em torno de uma base narrativa mais do que conceitual, e diz respeito a seres humanos "fazendo coisas tendo como base suas crenças e desejos, lutando por atingir suas metas, encontrando obstáculos... com o passar do tempo" (pp. 42-43). Uma área próxima relacionada, chamada de "etnografia pós-moderna", é coerente com a coletânea de narrativas. Tyler (1986, 1987) indica que essa pesquisa pós-moderna, em geral, afasta-se da abstração, favorecendo a descrição de experiências de vida em determinado tempo e lugar. O conceito de White (1990) para "experiências humanas excepcionais" analisa a história da vida de uma pessoa (ou grupo) através de maiores e/ou menores mudanças; essa relação entre eventos externos e experiências subjetivas ganha maior poder explanatório quando vista à luz das teorias de Bruner, de Edge, de Sampson, de Shweder, de Tyler e de outros.

A dificuldade em incorporar os fenômenos paranormais ocorridos na presença de A.A. em seus relatos foi admitida por vários membros do grupo do IONS. S.R. simplesmente observou: "Eu estava assombrado." J.B. concorda, "Minha mente acha difícil aceitar o que eu vi", L.G. encontrou uma maneira de aceitar os fenômenos de acordo com a sua forma de ver o mundo, concluindo: "Não há nenhuma dúvida para mim de que Amyr materializou esses objetos... Parece que nesses incidentes tinham sido direcionados pensamentos ou desejos, e talvez Amyr receba a energia desses pensamentos 'sinceros'. Tanto Marylu quanto Martha desejaram os objetos que receberam."

Por outro lado, durante a tarde e a noite, várias pedras apareceram em condições paranormais quando A.A. estava sentado ou em pé a uma certa distância. Tudo isso nos leva de volta aos paradoxos envolvidos no aparecimento da faixa magenta. Deve-se lembrar que o fenômeno incomum foi observado no fax e, mesmo depois desse fax ter sido o foco da atenção por 15 minutos antes, ninguém notou a faixa magenta vertical decorando a borda da folha. No entanto, Pierre Weil especulou que as manifestações eram "xerox" ou "fax" da "matriz", a qual permanece no seu local original. Pode-se alegar que as entidades da quarta dimensão de A.A. não tenham questionado as palavras de Pierre e tenham criado um efeito sobre a folha de fax.

Esses fenômenos paranormais são o que os parapsicólogos fariam referência como sendo "fenômenos psi"? Parapsicologia é o estudo científico dos "fenômenos psi" — aquelas interações entre organismos e seus meio ambientes (incluindo outros organismos) que parecem ir além do entendimento convencional da ciência ocidental em relação a tempo, espaço e energia. Mas um fenômeno em particular só pode ser considerado "psi" quando se manifesta em condições "psi", aquelas que fogem de qualquer explicação ordinária (Parapsychological Association, 1987). Assim, os eventos relacionados a Amyr durante nossa visita do dia 17 de fevereiro de 1993 foram certamente intrigantes, até paranormais, mas não podem ser classificados de "psi" porque eles ocorreram sob condições informais que admitem explicações alternativas.

PÓS-ESCRITO

Em novembro de 1994 S.K. enviou um questionário aos outros autores dos relatos. O questionário era baseado no conceito de White (p. ex., 1994) sobre "experiência humana excepcional" (*exceptional human experience*) e sobre o potencial que essas experiências oferecem para provocar mudanças em relação à visão do mundo e nas atividades das pessoas. O questionário perguntava: (1) Você consideraria o encontro com Amyr Amiden uma "experiência humana excepcional"? (2) Caso sua resposta seja afirmativa, que parte do encontro foi a mais "excepcional"?

(3) Agora que um ano e meio se passou desde seu encontro com Amyr Amiden, você observou algum efeito sentido posteriormente?

Nove membros do grupo do IONS responderam ao questionário (i.e. J.B., M.D., L.G., D.H., S.K., C.P., H.R., M.R. e S.R.). Eles todos responderam afirmativamente à primeira questão. Os aspectos que foram considerados como sendo os mais excepcionais foram listados como "o quartzo rosa caindo aos meus pés", "pedras caindo", "o sangue no cálice", "o cordão de ouro para uma pulseira", "as pequenas pinturas", "a esmeralda", "o estigma", "as inúmeras materializações", "os objetos sendo materializados", "e o acesso a processos e domínios de uma dimensão da mente que a maioria de nós é incapaz de penetrar".

Vários efeitos posteriores foram listados por quatro indivíduos: "Por um tempo, eu senti que a pedra que encontrei tinha uma energia especial." "O período com Amyr foi tão extraordinário que minha mente ainda não está muito à vontade com isso; eu só contei sobre essas experiências para alguns amigos seletos." "Muitas das materializações poderiam ter sido feitas por um mágico habilidoso, mas o cristal que caiu aos meus pés quando não havia ninguém perto de mim convenceu-me que era de 'verdade'." "A experiência com Amyr... reformulou os meus pensamentos, derrubou fronteiras, despertando em mim a certeza... das enormes possibilidades de expansão da consciência e quão limitado é o uso de nossa mente. Eu voltei do Brasil 'diferente'... com uma compreensão das coisas que eu não tinha antes, especialmente sobre a dinâmica da energia na interação humana e no processo de cura."

Para quatro outros membros do grupo, os efeitos posteriores simplesmente reforçaram uma visão prévia: "A experiência não alterou meus pensamentos ou sentimentos porque eu tenho tido muitos contatos com médiuns e sensitivos nas últimas décadas." "Isso não mudou os meus pensamentos ou sentimentos porque já tinha acontecido muitos anos antes com as minhas experiências anteriores." "Isso reforçou o conhecimento de que nós, no planeta Terra, somos parte de um universo muito mais amplo." "A aparente materialização dos vários objetos... está bem e fortemente guardada na minha memória."

REFERÊNCIAS

BRUNER, J. (1990). *Acts of Meaning*. Cambridge, MA: Harvard University Press.

DAWES, R.M. (1994). *House of Cards: Psychology and Psychoterapy Built on Myth*. Nova York: Free Press.

DEFFENBACHER, K.A. (1992). A maturing of research on the behavior of eyewitnesses. *Applied Cognitive Psychology, 5*, 377-402.

EARLY, L.F., & Lifschutz, J.E. (1974). A case of stigmata. *Archives of General Psychiatry, 30*, 197-200.

EDGE, H.L. (1994). *A Constructive Postmodern Perspective on Self and Community*. Lewiston, NY: Edwin Mellen.

GOLEMAN, D. (31 de maio de 1994). Amnesia to confabulation — new research on memory. *San Francisco Chronicle*, p. A7.

HARALDSSON, E., & Houtkooper, J.M. (1994). Report on an indian swami claiming to materialize objects: The value and limitation of field observations. *Journal of Scientific Exploration, 8*, 381-397.

HYMAN, R. (1977). "Cold reading": How to convince strangers that you know all about them. *Zetetic/Skeptical Inquirer. I* (2), 18-37.

KNAPP, D. (Junho de 1994). Ronnie Marcus comes and goes. *Bay Area Skeptics Information Sheet*. pp. 6-7.

LOFTUS, E.F. (1979). *Eyewitness Testimony*. Cambridge, MA: Harvard University Press.

MCKENNA, J., Treadway, M., & McCloskey, M.E. (1991). Expert psychological testimony on eyewitness reliability in P. Suedfeld & P.E.

Tetlock (orgs.), *Psychological and Social Policy* (pp. 283-293). Nova York: Hemisphere.

MURPHY, G. (1969). The discovery of gifted sensitives. *Journal of the American Society for Psychical Research, 63*, 3-20.

Parapsychological Association. (1987). Terms and methods in parapsychological research. *Journal of Humanistic Psychology, 29*, 394-99.

SAMPSON, E.E. (1983). Deconstructing psychology's subject. *Journal of Mind and Behavior, 4*, 135-164.

SHWEDER, R.A. (1991). *Thinking Through Cultures: Expeditions in Cultural Psychology*. Cambridge, MA: Harvard University Press.

SPANOS, N.P., Burgess, C.A., Cocco, L., & Pinch, N. (1993). Reporting bias and response to difficult suggestions in highly hypnotizable subjects. *Journal of Research in Personality, 27*, 270-284.

TYLER, S. (1986). Post-modern ethnography: From document of the occult to occult document. In J. Clifford & G.E. Marcus (orgs.), *Writing Culture: The Poetics and Politics of Ethnography* (pp. 120-140). Berkeley: University of California Press.

TYLER, S. (1987). *The Unspeakable: Discourse, Dialogue, and Rhetoric in the Postmodern World.* Madison: University of Wisconsin Press.

WHITE, R.A. (1990). An experience-centered approach to parapsychology. *Exceptional Human Experience, 8*, 7-36.

WHITE, R.A. (1994). Exceptional human experience and the more that we are: EHEs and identity. Proceedings of the Academy of Religion and Psychical Research Nineteenth Annual Conference, Cedar Crest College, Allentown, Pennsylvania, U.S.A. (pp. 77-88). Bloomfield, CT: Academy of Religion and Psychological Research.

WILSON, I. (1989). *Stigmata.* New York: Harper & Row.

Saybrook Institute (Krippner)
 # 300, 450 Pacific Ave.
San Francisco, CA 94133-4640

Pessoas presentes, no dia 17 de fevereiro de 1993, durante os eventos descritos neste relato.*

Da Cidade da Paz
Amyr Amiden (A.A.)
Pierre Weil (P.W.)

Do Instituto de Ciências Noéticas (Institute of Noetic Sciences)
(as que apresentaram relatos)
Carlisle Bergquist (C.B.)
June Bristow (J.B.)
Margarida de Carvalho (M.C.)
Lois Gold (L.G.)
Arlene Helgeson (A.H.)
Don Helgeson (D.H.)
Stanley Krippner (S.K.)
Catherine Petty (C.P.)
William Petty (W.P.)
Howard Reed (H.R.)
Gloria Ramsey (G.R.)
Marylu Raushenbush (M.R.)
Sereta Robinson (S.R.)

Do Instituto de Ciências Noéticas (Institute of Noetic Sciences)
(as que não apresentaram relatos)
Becky Johnson (Becky) (B.J.)
Steve Poplar (Steve)

---

* Cinco outros homens e mulheres que estavam presentes não são citados no relato.

CAPÍTULO 2

Vinte sessões em Brasília

Stanley Krippner, Michael Winkler, Pierre Weil, Harbans Lal Arora, Ruth Kelson e Roberto Crema

RESUMO: fenômenos paranormais ocorridos na presença de um "sensitivo" brasileiro estão descritos, sessão por sessão, numa série de observações colhidas na Universidade Holística Internacional, Brasília, em março de 1994. Em cada sessão, é fornecida a lista de pessoas envolvidas, a hora e o local, os fenômenos observados e uma série de reflexões da equipe de pesquisa.

Em fevereiro de 1993, Stanley Krippner (S.K.) trouxe um grupo, patrocinado pelo Institute of Noetic Sciences (Instituto de Ciências Noéticas), a Brasília. O grupo passou uma tarde na Fundação da Cidade da Paz com seu diretor, Pierre Weil, um eminente psicólogo transpessoal. Os fenômenos daquela tarde foram descritos pelos membros presentes nos encontros com Amyr Amiden, um "sensitivo" brasileiro (Krippner *et al.*) A maioria dos membros daquele grupo sentiu que um ou alguns desses fenômenos constituíram uma "experiência humana excepcional". Em março de 1994, Roberto Crema (R.C. — psicólogo e antropólogo), Harbans Lal Arora (H.L. — físico), Ruth Kelson (R.K. — médica) e Michael Winkler (M.W. — estudante de pós-graduação em psicologia) se juntaram a Krippner e a Pierre Weil (P.W.) para uma série de observações das quais Amyr Amiden (A.A.) participou. Este relato descreve os eventos de cada sessão, a data e a hora de sua ocorrência, o local e as pessoas presentes e serve como suplemento útil a relatórios mais formais do encontro.

10/3/94

- Pessoas envolvidas nessas sessões de pesquisa: Amyr Amiden, Pierre Weil, Stanley Krippner, Michael Winkler, Lindalva Barrios, Sonia Sanchez
- *6h45 — 10h44*
- Local do evento: escritório de Pierre Weil, prédio central da administração

Ele disse que gostaria de entender mais os fenômenos paranormais que tinha vivenciado desde sua juventude e os motivos pelos quais eles aconteciam. A.A. notou que não tem controle consciente sobre os fenômenos, mas freqüentemente há sinais de que estão para acontecer, por exemplo, o sabor ácido na sua saliva e a aceleração das batidas cardíacas e do pulso.

Pierre Weil (P.W.) retirou um cálice de metal de sua prateleira e começou a descrever como pequenas gotas de sangue e uma hóstia de comunhão tinham aparecido no cálice sob condições anormais alguns meses antes do nosso encontro daquela noite. A.A. pediu a Michael Winkler (M.W.) que deixasse o cálice prateado equilibrado sobre a palma de sua mão para que ele (A.A.) colocasse suas duas mãos a uma polegada ou duas de distância do topo do objeto. Isso levou uns 15 segundos e P.W. pediu a M.W. para colocar o objeto sobre a mesa. A.A. pediu a todos nós que colocássemos as mãos em volta do cálice sem tocar o metal. A.A. colocou suas mãos a uma ou duas polegadas de distância de nossas mãos, que estavam mais próximas do objeto. Engajamo-nos nessa atividade durante 15 a 20 segundos até que A.A. sugeriu que removêssemos nossas mãos. Em seguida A.A. colocou suas mãos perto do cálice, mas não o tocou. P.W. ergueu o cálice às 19h20 e observou que uma formação líquida, parecida com óleo e com aroma de perfume havia aparecido. L.B. teve uma reação emocional ao evento. Depois de passar o líquido nela mesma, o qual ela sentiu havia se "manifestado" no cálice, chorou por aproximadamente 5 minutos.

Nenhum de nós teve a oportunidade de observar o conteúdo do cálice antes dele ser colocado sobre a mesa.

A.A. pediu a P.W. que pegasse um grande cristal de sua prateleira. Em seguida A.A. sugeriu que todos os membros de nosso grupo colocassem suas mãos em volta do cristal a mais ou menos 2 polegadas de distância. Esse procedimento levou aproximadamente 60 segundos. Nenhuma das mãos tocou o cristal diretamente. Quando nossas mãos foram removidas às 19h42, P.W. constatou a presença de uma película líquida envolvendo o cristal que, aparentemente, antes não estava sobre o cristal. Os membros do nosso grupo concordaram que a película líquida tinha o mesmo odor que o líquido parecido com óleo que tínhamos visto no cálice.

- *19h45 — 19h54*
- Local do evento: corredor perto do escritório de Pierre Weil no prédio principal

Depois de deixar o escritório, S.K. e M.W. foram aos seus quartos para se prepararem para o jantar. Pronto para jantar, S.K. voltou ao corredor na frente do escritório onde L.B., A.A., P.W. e Sônia Sanches, outro membro do grupo de assistentes, estavam discutindo um evento que tinha acontecido há muito pouco tempo. Duas pedras tinham aparecido de maneira anormal, uma no andar do escritório de P.W., por volta de 16h50, e outra no chão acarpetado do corredor, às 19h52. As duas pedras tinham textura macia e brilhante; elas eram pequenas, mas coloridas e atraentes. M.W. inspecionou as pedras quando chegou ao local e nosso grupo partiu para o jantar.

- *19h55 — 20h11*
- Local do evento: na rua, fora do prédio principal

Enquanto caminhávamos em direção ao restaurante, por volta de 19h55, L.B. ouviu um barulho, como se algo tivesse caído por perto. A.A., que estava vários passos à frente dela naquela hora, sugeriu que observássemos a superfície da rua. Depois de pouco tempo, L.B. encontrou um broche cujo centro era uma pedra branca em forma de lágrima. Ela observou que a pedra e o estilo (do broche) eram parecidos com as características de um anel que havia aparecido em condições anormais na presença de A.A. há vários dias.

Nosso grupo continuou caminhando em direção ao restaurante. Durante a caminhada A.A. estava conversando com M.W. e lhe disse que lhe daria um presente. Logo após a conversa, às 20h, L.B. encontrou um anel na rua e o passou para M.W. O anel parecia ter sido feito de uma liga metálica prateada e tinha um desenho com formato de diamante no centro, que por sua vez tinha quatro partes em forma de diamante. Cada uma das partes em forma de diamante continha uma pedra verde no centro. Envolvendo a forma maior de diamante havia um desenho de mosaico, contendo oito pedras verdes adicionais, assim como cavidades circulares; a parte de trás do anel era bem estreita. Parecia ter sido feito para servir no dedo anular ou no dedo mínimo de alguém.

Continuamos caminhando em direção ao restaurante; às 20h09 um outro barulho foi ouvido. O grupo começou a procurar na área perto de onde estávamos e Lindalva Barrios encontrou uma pequena pedra polida que aparentemente havia caído no chão.

- *20h12 — 20h54*
- Local do evento: restaurante da Fundação

Às 20h15, ao trazermos nossa comida para a mesa, vários membros do nosso grupo ouviram e visualizaram uma pedra saltar no chão, perto de uma mesa grande. Naquele momento, A.A. estava no balcão de comida, segurando sua bandeja. S.K. pegou a pedra, observando sua cor de laranja e seu desenho estriado (essa pedra foi identificada depois como uma ágata por um joalheiro local).

Nenhum evento anormal ocorreu durante o jantar, mas A.A. discutiu sua crença de que a "energia" é manipulada através do ar quando esses fenômenos paranormais acontecem. Às 20h30, P.W. pegou um guardanapo que havia estado sobre a mesa (por algum tempo) e observou vários traços diferentes. Parecia que o guardanapo havia sido dobrado para que 32 partes aparecessem quando aberto. Algumas dobras para a esquerda e outras para a direita.

P.W. comparou o guardanapo a um holograma e observou que: "Eles estão conversando conosco através de símbolos." A.A. comentou: "Eles pediram a você que colocasse a data no guardanapo." S.K. colocou a data no canto do guardanapo e o guardou (a pedido do grupo). P.W. lembrou que traços semelhantes tinham aparecido em um guardanapo durante uma refeição anterior com A.A. e que um guardanapo havia sido achado em seu escritório manifestando as mesmas características. Nos dois casos, os traços anormais nos guardanapos tinham aparecido na presença de A.A.

S.K. perguntou se esses fenômenos representavam uma manifestação característica do misticismo islâmico. P.W. respondeu: "Não, os fenômenos podem ser de natureza cristã também." Nesse momento, L.B. foi à cozinha para lavar os pratos; uma empregada da cozinha contou a L.B. que sua filha havia ligado de São Paulo. Às 20h43, enquanto L.B. ainda estava na cozinha, um barulho foi ouvido e um membro do nosso grupo encontrou um medalhão religioso no chão. Ele continha Jesus e a Virgem

Maria assim como a palavra "Fátima". L.B. retornou e lhe mostraram o medalhão; ela ficou entusiasmada e disse que sua filha havia feito um pedido específico para receber um medalhão de Fátima há alguns dias.

P.W. discorreu sobre a "multiplicidade de significados relacionados a alguns eventos". Ele havia anteriormente observado que um objeto holográfico poderia ser um presente apropriado para um cientista, assim como uma figura ou metal religiosos seriam um presente apropriado para um membro devoto de um grupo religioso. Ele sentiu que a aparição do medalhão de Fátima estava relacionado a ambos, à sua conversa durante o jantar sobre "a lógica inerente dos fenômenos" e ao telefonema da filha de L.B. Além disso, P.W. apontou a relação entre a pergunta de S.K. sobre os fenômenos islâmicos e a resposta de P.W. de que os fenômenos cristãos também poderiam aparecer. S.K. acrescentou que o nome "Fátima" tinha significado especial para os cristãos no que diz respeito a Fátima, em Portugal, onde havia três pessoas jovens que diziam ter visto a Virgem Maria há muitas décadas e que a palavra tinha significado para os muçulmanos, porque era o nome da filha de "Mohammed".

Seguindo essa especulação, A.A. abriu sua mão e o grupo observou outro medalhão religioso, este com a imagem da Virgem Maria. S.S. ficou entusiasmada e retirou de sua carteira uma réplica daquele medalhão. A.A. comentou que algumas vezes seu corpo "expele tanta energia" que esta reproduz um objeto nas redondezas através da utilização da "energia contida no ar". Ele também reportou que às vezes tem que ir ao hospital durante a manhã porque seu batimento cardíaco se acelera e isso o aterroriza. Entretanto, os médicos descreveram seus sintomas como angina do peito (*angina pectoris*).

- *20h55 — 21h30*
- Local do evento: proximidades do prédio principal da Universidade

Logo depois que deixamos o restaurante, A.A. nos disse que havia ocorrido outra "materialização", apesar de que ninguém se lembrava de ter ouvido barulho de algo caindo. Todos nós observavamos a superfície da rua, o que foi uma tarefa difícil devido à escuridão da noite. S.K. deliberadamente se dirigiu a uma parte da rua pela qual A.A. não havia passado e que estava a vários passos de distância da posição de A.A. nesse momento. Na beira da calçada da rua, às 20h50, S.K. encontrou um medalhão em forma de sino com uma pedra preta no centro. A pedra (mais tarde identificada por um joalheiro local como ônix) tinha a forma de lágrima; estava no centro do medalhão que parecia ter sido feito de uma liga metálica cor de prata.

Nosso grupo continuou a caminhar pela rua e novamente um ruído foi ouvido. Às 21h, L.B. encontrou uma pequena ametista violeta. Ela estava encantada porque violeta era a cor característica do indivíduo que ela considerava ser seu "protetor", o nobre e místico francês Saint Germain, do século XVIII. Outro ruído ocorreu às 21h02; S.S. encontrou, na rua, uma pedrinha rosa, na qual ela discerniu os traços de uma face humana.

Enquanto nos aproximávamos do prédio principal, M.W. se afastou do grupo para usar o telefone. A.A. pediu aos membros do grupo que parassem e observassem o céu. Ele apontou para uma área, na qual havia muitas nuvens, dizendo que haveria mais "materializações". Ele também indicou que um "sinal" apareceria no céu. Às 21h10, um membro do grupo encontrou uma pedra cor de âmbar na rua. Às 21h11, outro membro pegou uma pequena esfera de cristal na rua. Às 21h12, alguém encontrou uma pedra parecida com o primeiro objeto que havia sido encontrado no escritório de P.W. às 19h50 — talvez um exemplo da categoria "duplicação". Às 21h14, S.K. encontrou uma pedra verde que depois foi identificada como um "prásino" (uma pedra semipreciosa comum no Brasil).

Às 21h20, A.A. direcionou nossa atenção para a superfície da rua e nós observamos que parte dela parecia coberta por um líquido brilhante. Tocando o líquido e cheirando-o, concordamos que o cheiro era idêntico ao que tínhamos sentido no escritório de P.W. Nesse momento, Roberto Crema (R.C.) chegou e foi cumprimentado pelo grupo. Olhamos para o céu às 21h26, observando que as nuvens tinham se dissipado completamente. Nosso grupo acompanhou R.C. até o prédio principal, discutindo com ele os acontecimentos das duas últimas horas. Às 21h38 entramos no escritório de P.W. e acendemos uma vela; ela emitiu um odor semelhante àquele que todos nós havíamos sentido na rua.

11/3/94

- Pessoas convidadas: Amyr Amiden, Stanley Krippner e Pierre Weil
- *16h55 — 17h40*
- Local do evento: dentro e ao redor da Casa de Meditação

Nós três nos encontramos no escritório de P.W. às 16h55. A.A. estava ansioso para relatar um de seus sonhos da noite anterior. "Eu estou com um antigo sábio que é bastante alto, com o olho esquerdo coberto. Ele segura uma vara comprida, marca de uma pessoa de autoridade. Ele parece muito carismático e poderoso. Está praticando alquimia e misturando algo num tonel de cobre." A.A. relacionou o homem no seu sonho a S.K., sugerindo uma possível conexão de vida passada. Na discussão subseqüente, A.A contou-nos que precisava tomar uma quantidade considerável de água e de chá, assim como tomar banhos freqüentemente.

P.W. sugeriu que nossa pesquisa se limitasse a examinar três questões básicas: há uma inteligência transcendental no universo? Essa inteligência tenta se comunicar com os seres humanos? Se assim for, será que são utilizados símbolos e metáforas que os humanos necessitam decifrar para determinar seu significado?

Às 17h19 estávamos de pé fora da Casa de Meditação quando A.A. disse que "uma materialização" havia ocorrido. Imediatamente S.K. foi à parede externa da casa, uma área em que ele tinha certeza de que A.A. não havia estado. S.K. encontrou uma pedrinha polida branca-azul no chão, um pouco parecida com a forma de um dente; esta foi mais tarde identificada como sendo uma "sodalita" (uma pedra comum no Brasil). A.A. comentou que essas "materializações" também acontecem quando ele está sozinho, mas não dura muito tempo. Na verdade, elas tendem a desaparecer na sua ausência. A.A. atribuiu a aparição da pedra branca-azul ao "espírito da floresta" e sentiu que essa localidade seria propensa para a ocorrência de outros fenômenos anormais.

Dentro da Casa de Meditação, às 17h42, A.A. notou que sua "voz feminina", a qual ele disse estar localizada no lado direito de sua cabeça, estava falando com ele. De acordo com Amyr, essa voz disse-lhe que outra "materialização" havia ocorrido e que poderia ser vista pela janela principal. P.W. dirigiu-se à janela e imediatamente avistou duas moedas. De acordo com P.W., isso era muito estranho porque recentemente haviam limpado o terreno. S.K. saiu para coletá-las e trouxe de volta uma moeda espanhola prateada de cinco pesetas, de 1975, com a figura de Juan Carlos I, bem como uma moeda de bronze de 200 liras, de 1979, com a imagem de uma mulher representando a República Italiana. S.K. resolveu procurar objetos na Casa de Meditação e nos arredores todos os dias antes de cada sessão com A.A. naquele local.

Às 17h37, saindo da Casa de Meditação, A.A. subitamente se curvou, queixando-se de uma sensação aguda. Vimos e ouvimos algo cair e bater no chão. P.W. pegou um cristal de quartzo triangular fumegante, mais tarde identificado com um "cristal de rocha".

A.A. disse-nos que objetos "materializados" pareciam cair de cima de sua cabeça ou pareciam cair perto do chão, da altura do joelho. Ele também relatou que a maior parte da fita de vídeo que ele havia gravado na tarde que passou com o grupo do IONS, em 1993, havia sido apagada em condições anormais (um possível exemplo da categoria "transformação" de P.W.). A.A. disse-nos que ele havia sentido a perda desse material, mas que havia ficado feliz quando S.K. lhe comunicou que uma fita gravada por um membro do grupo do IONS estava ainda intacta. Nesse momento, nós havíamos chegado ao prédio principal, onde o filho de dezesseis anos de A.A., Ganem, e sua secretária (do escritório) o esperavam para levá-lo de carro para casa.

A.A. pronunciou seu agradecimento a Deus e à Natureza pela harmonia do grupo.

Por volta das 21h16, H.L. mencionou que queria telefonar para sua esposa, quando A.A. sugeriu que algo havia se "materializado" perto do outro lado da rua, onde estava estacionado o carro de P.W. H.L. caminhou na direção da área que A.A. havia descrito e encontrou uma ficha telefônica, mas disse a A.A. que não podia utilizá-la porque a ficha funcionaria apenas para telefonemas locais. A.A. respondeu que sentira uma coceira na palma de sua mão, o que indicava que algo mais tinha se "materializado". Dessa vez, ele levou H.L. ao banco do outro lado da rua. Quando H.L. inspecionou aquela área, por volta das 21h18, ele encontrou uma ficha telefônica que poderia ser utilizada para telefonemas interurbanos.

13/3/94

- Pessoas envolvidas: Amyr Amiden, Lindalva Barrios, Harbans Lal Arora, Pierre Weil
- *20h45 — 21h30*
- Local do evento: área de recepção do Aeroporto Internacional de Brasília

A.A., L.B. e P.W. foram de carro para o aeroporto para encontrar Harbans Lal Arora (H.L.), um físico da Universidade Federal do Ceará, em Fortaleza, que estava chegando para participar do projeto de pesquisa. O vôo de H.L. chegou por volta das 20h45 e ele ficou encantado com o comitê de recepção.

Por volta das 21h, várias pedrinhas caíram na porta. Por volta das 21h30, a água da chuva no chão transformou-se em odor de rosas. A.A. observou que esses eventos eram a manifestação de "calorosas boas-vindas" a H.L. e que um diamante iria aparecer antes que voltasse para casa. H.L. observou que esses fenômenos eram do tipo relatado por visitantes do "Ashram de Sai Baba", na Índia.

Quando o grupo estava prestes a entrar no carro de P.W., às 21h12, L.B. viu, no chão, uma pedra branca em forma de lágrima. Ela a recolheu e notou que era praticamente idêntica a uma pedra que ela possuía. Enquanto se dirigia ao carro de P.W., às 21h12, ela pegou um broche metálico que era realmente a base da pedra branca que ela havia acabado de encontrar. O conjunto de objetos era quase uma cópia exata de um conjunto que havia aparecido de forma anormal na presença de A.A., um pouco mais cedo mas, de alguma forma, com uma aparência mais desgastada pelas mudanças climáticas. H.L., mais tarde, lembrou que o clima estava um tanto instável na sua chegada, com relâmpagos e trovões freqüentes.

A caminho do telefone público para ligar para Fortaleza, por volta das 21h20, H.L. e o restante do grupo ouviram um barulho estranho vindo do suporte do telefone. H.L. decidiu usar outro telefone público para poder falar com sua esposa. Ela lhe disse que havia tentado telefonar para a Fundação para falar com ele pouco antes de receber sua ligação.

Enquanto isso, por volta das 21h22, A.A. tinha pedido a L.B. que lhe dissesse seu número favorito. Ela respondeu "oito". Subitamente uma nota amassada de 100 cruzeiros caiu perto dos pés de L.B. Ao desamassá-la, L.B. observou que o número era A1135091128A. A.A. notou que esse número era, de alguma forma, parecido com o de uma nota no bolso de P.W. Por volta das

21h24, P.W. verificou seus bolsos e encontrou uma nota com o número A0875097782A. Esses eventos ocorreram entre 20h45 e 21h30.

14/3/94

- Pessoas envolvidas: Amyr Amiden, Lindalva Barrios, Roberto Crema, Ruth Kelson, Stanley Krippner, Harbans Lal Arora, Pierre Weil e Michael Winkler
- *14h55 — 19h50*
- Local do evento: escritório de Pierre Weil, prédio central da administração

H.L. e M.W. não estavam presentes no início da sessão. Eles tinham ido à Universidade de Brasília para pegar um magnetômetro. A.A. se juntou ao restante de nós para a sessão da tarde. Ao entrar no escritório de P.W. às 14h55, um aroma doce, parecido com perfume, impregnava o escritório. Ele havia emanado da substância parecida com óleo, de dentro do cálice, que ainda era discernível em forma líquida no fundo do recipiente. A médica Ruth Kelson (R.K.), que tinha trabalhado anteriormente com A.A., comentou: "Noto aquele aroma em todos os lugares a que vou." Ela comparou esse aroma com o de óleo de massagem, enquanto S.K. o comparou a perfume ou incenso.

Às 15h07, R.K. mediu a acidez na boca de A.A., identificando saliva com pH 7. Logo depois, R.K. mediu a pulsação de A.A.: era de 108. Às 15h11, A.A. parecia manifestar "estigmata" (corte na mão com sangue escorrendo, como nas mãos de Cristo crucificado), sobre e dentro da sua mão esquerda. Às 15h12, os mesmos fenômenos foram observados na mão direita. A.A. disse-nos que a manifestação de "estigmata" podia ter sido influenciada pelo fato de R.K. o estar monitorando fisicamente ou pelas preocupações emocionais que ele havia tido sobre o bem-estar de seu filho durante o dia. A.A. revelou que ele se sente totalmente em paz quando tem "experiências fora do corpo" e voluntariamente disse que quando seu "espírito deixa o corpo", ele gosta tanto da sensação que muitas vezes não quer voltar.

Às 15h14, P.W. e L.B. chegaram quando A.A. estava contando ao grupo que alguns "pontos" no topo de seus pés e no meio de suas pernas ficam extremamente sensíveis quando fenômenos anormais acontecem. A.A. levantou a calça de sua perna direita e era claramente visível uma irritação. A.A. nos disse que ele às vezes tem irritações semelhantes na perna esquerda e que elas tipicamente acompanham períodos de intensa atividade anormal. Um sintoma concomitante é a dificuldade visual, por exemplo visão embaçada, dores nos olhos, uma condição que R.K. comparou a certas condições visuais também caracterizadas por ocasional visão em branco e preto.

A.A. contou-nos que os fenômenos são mais fortes durante a Semana Santa cristã e durante o Ramadã muçulmano. Quando os fenômenos acontecem em seqüência extremamente rápida, A.A. disse que chega a perder de 8 a 9 quilos e tem que aumentar radicalmente a quantidade de líquidos ingeridos. Uma ou duas vezes por mês ele diz "emitir ectoplasma", especialmente quando está muito preocupado. A emissão acontece quando A.A. está dormindo; ao acordar, ele encontra uma camada branca e seca, semelhante à clara de ovo, nas suas roupas de cama.

Às vezes, quando os fenômenos estão no seu máximo de intensidade, o braço esquerdo de A.A. fica amarelo, um evento que A.A. acredita refletir "impureza". A "voz feminina" de A.A. sempre se manifesta nessas horas, tendo efeito calmante. R.K. perguntou a S.K. sobre a questão relacionada ao "ectoplasma". S.K. respondeu que ele não havia visto evidência convincente da existência da substância alegada.

A.A. levou uma variedade de fotos com ele para mostrá-las ao nosso grupo (por exemplo, várias em que apareciam ele e a atriz Shirley MacLaine) e também publicações (por exemplo, um livro de 1987 de Janine Fontaine, *Notre Quatrieme Monde*, no qual ele é descrito como um "especialista em materializações de medalhas"). Às 15h20, Amyr rasgou dois pequenos pedaços da capa de uma revista que estava sobre a mesa de P.W. no seu escritório, a edição de junho de 1990 de *Atualittá*. Mais tarde, A.A. nos contou que estava emocionalmente inspirado pelo verde das árvores, vistas pela janela do escritório de P.W., e procurou um papel que combinasse. Ele amassou esses pedaços de papel, os dois verde-escuro, até que formaram uma bolinha. Ele então colocou essa bolinha sobre a mesa e a segurou várias vezes, tocando-a ou pressionando-a levemente. R.K. notou que A.A. estava visivelmente agitado.

Às 16h04, R.K. novamente fez medições em A.A. Seu pH era 7, seu pulso 96 e sua pressão sangüínea era 15/9. A respeito de seu estado físico, A.A. observou que quando está com um grupo simpático, sente calor na área do plexo solar. Quando está com um grupo que depende de sua "energia", ele boceja freqüentemente e sente sua "energia" se esvaecer. A.A. disse-nos que ele cobriu a janela e as paredes de seu quarto com almofadas e colchões para evitar machucar-se durante a noite em suas "levitações". Ele dorme no chão por medida de segurança; se ele "levita" — o que acontece, de acordo com ele mesmo, uma ou duas vezes por mês —, não tem muito espaço para cair. Ele nos disse que algumas vezes "levita" no seu automóvel e que pessoas que o estão olhando pensam que ele está crescendo. A.A. também relatou que precisa carregar várias chaves com ele porque uma ou mais de uma dobram-se sem seu conhecimento, fazendo com que seja impossível para ele abrir a porta do carro ou entrar em sua casa.

Às 16h46 P.W. observou que o odor doce era fortemente discernível, mas fez a observação de que não havia ocorrido mais nenhum fenômeno anormal por quase duas horas e que o tempo estava calmo — diferente das tempestades e chuvas fortes durante nossos encontros anteriores com Amyr. Às 16h47, Amyr novamente alcançou e pegou o papel verde-escuro amassado, acariciando-o e pressionando-o. Desta vez ele o cheirou também.

Às 16h50, A.A. mencionou uma dor aguda no olho direito. P.W. disse que sentiu uma dor naquela área também, sugerindo que estava em relação íntima harmônica com A.A. R.K. novamente mediu A.A. Seu pH era 6 (indicando uma concentração maior de saliva ácida), seu pulso era 102 e sua pressão sangüínea era 17/9,5. Vários membros do nosso grupo sentiram o peito de A.A. e era aparente que seus batimentos cardíacos estavam acelerando. Ele nos disse que tinha subitamente perdido a habilidade de discernir cores e estava se sentindo "muito longe". O corpo de A.A. começou a sacudir e a tremer.

Às 16h58, R.K. tornou a fazer medições, reportando que o pulso de A.A. estava em 120. Às 17h50, A.A. disse que sua "voz feminina" estava dizendo a ele para "manter-se calmo". Ele também disse que os números "3-4-7" seriam importantes para alguém naquele local. Ele nos disse que ocorreria um fenômeno que demonstraria a "matriz referencial".

Às 17h, A.A. acariciou o papel verde amassado. R.K. fez novas medições, reportando que seu pH ainda era 6 e que seu pulso estava em 102. A.A. repetiu que sua "voz feminina" estava dando-lhe os números "3-4-7". Novamente, ele começou a tremer. A.A. alongou os braços, segurando o papel amassado na mão direita. Sua face ficou aparentemente mais pálida.

Às 17h02, uma pequena pedra verde apareceu entre o polegar e o primeiro dedo da mão esquerda de A.A. (Essa pedra foi identificada mais tarde como uma esmeralda de baixo teor.) A.A. reportou um sentimento de "alegria". R.K. fez novas medições, reportando que sua pulsação era agora 96 e que seu pH estava entre 6 e 7. A.A. nos disse que havia estado "muito longe", mas que ele não havia perdido a identidade com o "Amyr mais jovem". P.W. observou nuvens de chuva se juntando e A.A. afirmou que a chuva aumentava sua sensitividade emocional.

Às 17h07, R.K. fez leituras adicionais, observando que o pH de A.A. era 7 e seu pulso 120. Sua pressão sangüínea era 17/11 e ele estava suando sem parar. Seus braços ainda estavam alongados para fora. R.K. perguntou: "Qual é a relação entre a pedra e o papel?"

Às 17h10, imediatamente depois de R.K. ter feito sua pergunta, a pedra verde apareceu entre o polegar e o primeiro dedo de sua mão esquerda, enquanto o papel amassado estava agora entre o polegar e o dedo de sua mão direita. P.W. comentou que esse poderia ser um exemplo da "matriz referencial" que A.A. havia previsto porque os dois itens pareciam ter trocado de posição. Para nós, estava aparente que os dois eram verde-escuros e mais ou menos do mesmo tamanho.

Às 17h20 A.A. disse que algo anormal aconteceria "no campo" do outro lado da parede do lado direito. Nós interpretamos isso como significando que um evento anormal ocorreria no quarto onde H.L. estava hospedado. Às 17h25 H.L. e M.W. se juntaram ao nosso grupo, tendo retornado da Universidade de Brasília. P.W. deixou o grupo devido a outro compromisso; L.B. e R.C. tinham ido embora há algum tempo. Às 17h34, R.K. examinou a saliva de A.A. O pH permaneceu entre 6 e 7. A.A. pediu a cada um de nós para sentirmos suas mãos; concordamos que estavam frias e suadas.

Às 17h38 A.A. olhou para cada um de nós, afirmando ver "cores" emanando da área do plexo solar. Ele enxergava a cor verde vindo do plexo solar de M.W., violeta do plexo solar de H.L., azul-esverdeado do plexo solar de R.K. e amarelo forte e ouro do plexo solar de S.K.

Às 17h47, A.A. afirmou sentir uma "espiral" conectando todos nós. Ele estava suando muito e pediu um copo com água. Disse-nos que suas mãos estavam frias e que tinha perdido as sensações nas pernas — um evento que normalmente não acompanha os fenômenos. Ele pediu um pedaço de papel rochedo para servir como "referência", mas disse que não sabia o propósito do rochedo. A.A. pediu-nos para sentir suas mãos e houve consenso de que estavam mais frias do que antes.

S.K trouxe de volta um pedaço de papel rochedo de seu kit de barba. A.A. rasgou em três pedaços pequenos, amassando cada um num pequeno montante e colocou dois deles sobre seu estojo preto de óculos. Ele nos perguntou o que parecia o papel rochedo. M.W. disse "um pedaço de metal" e S.K. respondeu "um diamante". A.A. várias vezes expressou seu encanto com a beleza e claridade do papel rochedo. R.K. mediu sua saliva reportando que o pH havia retornado a 6. A.A. nos disse que um pedaço amassado de papel rochedo parecia mais brilhante para ele e que ele havia sentido calor na ponta do dedo. Nesse momento, P.W. juntou-se novamente ao grupo.

R.K. fez medições adicionais de A.A., reportando o seu pulso 120 e sua pressão sangüínea 18/11; seu pH era ainda 6, seus batimentos cardíacos estavam mais fortes e seu corpo começou a sacudir. Notamos que o odor da substância parecida com óleo estava ficando mais forte.

À 16h20 A.A. pediu a todos nós para mantermos os olhos abertos e visualizarmos a cor que ele havia observado em volta da nossa área do plexo solar. Às 18h21, alguns de nós, que estávamos observando o papel rochedo, notamos uma mudança. De acordo com a inspeção, parecia ter se "transformado" numa pedra preciosa ou num pedaço de cristal delicadamente cortado. Comentamos então que tínhamos sentido calor e cheiro de perfume. O segundo pedaço de papel rochedo estava sobre seu estojo de óculos sem mudanças, enquanto o terceiro pedaço permanecia sobre a mesa.

A.A. observou que esse era o diamante sobre o qual ele estava contando piadas no aeroporto na noite anterior, acrescentando "e há mais diamantes por vir". A.A. nos disse, "Não é o valor do diamante que é importante, é o ensinamento; o significado do fenômeno é a transparência do nosso mundo, a transparência de nossa consciência."

A.A. parecia confiar esse objeto a S.K. para subseqüente exame nos Estados Unidos, mas mais tarde disse que ele havia tido a intenção de dá-lo a H.L. De qualquer forma, S.K. o embrulhou com cuidado em papel fino, colocou-o em um envelope de papel e numa garrafa com tampa segura. Mais tarde, quando L.B. e S.S. pediram para ver o cristal, M.W. recuperou a garrafa, abriu-a, mas o cristal e seus múltiplos papéis de embrulho haviam desaparecido. Talvez tenha sido um exemplo da categoria "processo de teleportar", de P.W.

Em resposta às nossas perguntas sobre esses eventos anormais, A.A. observou que o avô, por parte de mãe, havia participado de incidentes parecidos; entretanto, o que se dizia sobre ele era que realmente "retirava" objetos do ar. Além do mais, A.A. observou que ele é o sétimo filho homem. Ele nasceu às 7h, no sétimo mês do ano, enfatizando freqüente aparição do número "7" na sua história de vida. De acordo com A.A., os fenômenos que nós presenciamos foram os resultados de "um campo coletivo" e ele não deu nenhum crédito pessoal por eles. Para A.A., "tudo é energia; esse é o caminho da Natureza". S.K. lembrou o que A.A. havia dito sobre os números "3-4-7" e que "3" e "4" somam "7". A pessoa para a qual esses números foram importantes pode ter sido A.A., visto que precederam uma série dramática de eventos.

A.A. mencionou a lenda que diz respeito a Mohammed, a sua esposa, Hadija e a sua filha, Fátima. Assim que os três se sentaram para um longo jantar, Mohammed lhes disse que ele necessitava de harmonia para que eventos divinos acontecessem. Nesse momento, leite e mel emergiram dos dedos de Fátima e de sua mãe, provendo comida para a família. Mohammed abriu o peito, olhou para o alto e agradeceu a Alá. A.A. acrescentou que na realidade há apenas um Deus que é adorado de diferentes maneiras e que a harmonia na lenda caracterizava o nosso grupo de investigadores.

Na conclusão dessas observações, às 18h50, uma pedra brilhante apareceu sobre o papel verde do rascunho, que R.K. havia utilizado para anotar as medidas de A.A. Às 18h53, uma medalha apareceu no chão, perto de M.W., representando Santa Bernardete, de um lado, e sua visão da Virgem de Lourdes, do outro.

Assim que deixamos o escritório de P.W., às 19h01, observamos um líquido consistente na parede, do lado esquerdo do corredor. O líquido se encontrava na forma de um coração e tinha um cheiro de perfume semelhante ao que havíamos sentido durante a tarde.

Às 19h48, H.L. retornou ao seu quarto, observando e notando um líquido consistente na sua porta. Novamente, o líquido emanou um cheiro parecido com perfume. Assim que entrou em seu quarto, às 19h40, ele descobriu um pedaço colorido de metal, parecido com lata, que parecia ser a tampa de um recipiente. Estava decorado com figuras hindus e com símbolos parecidos com aqueles que se vêem nas publicações de Sai Baba, o homem sagrado da Índia, que H.L. havia mencionado anteriormente. M.W. chegou ao quarto de H.L. e também teve a oportunidade de observar esse objeto. Às 19h50, H.L. foi ao quarto de P.W., esperando mostrar-lhe o objeto. A porta estava trancada, mas H.L. observou 12 marcas escuras na porta, simetricamente arranjadas. H.L. não havia notado essas marcas antes, mas P.W. asseverou mais tarde que essas marcas eram o resultado de um *poster* que estava colado na porta.

- Pessoas envolvidas: Amyr Amiden, Harbans Lal Arora, Pierre Weil, Lindalva Barrios
- *19h55 — 21h*
- Local do evento: restaurante da Fundação

A.A., H.L., P.W. e L.B. chegaram ao restaurante da Fundação, passaram pela fila na lanchonete, levaram sua comida para uma mesa próxima e discutiram os acontecimentos da sessão da tarde. De repente, A.A. disse a P.W. para observar a área diretamente a sua frente. Mais ou menos às 20h35, P.W. observou um líquido claro que devagar tomou a forma do que parecia ser um pequeno cone cristalino. Um joalheiro local mais tarde o identificou como um diamante. Talvez esse tenha sido um exemplo da categoria "materialização" de P.W.

Andando de volta para o prédio da administração, A.A. sugeriu que o grupo parasse e observasse a área do céu que havia atraído tanta atenção no começo da semana. Às 20h55, P.W. sentiu uma sensação estranha no ombro, como se algo estivesse descansando ali. Logo depois, P.W. sentiu um objeto saltar na frente de seu corpo e o viu aterrissar no chão da rua. Após inspecionado, constatou-se que o objeto era uma medalha coberta por várias escrituras latinas, das quais a mais proeminente era "Pax" ou "Paz".

- Pessoas envolvidas: Amyr Amiden, Stanley Krippner, Pierre Weil, Harbans Lal Arora, Lindalva Barrios
- *21h10 − 21h30*
- Local do evento: sala de aula no segundo andar do prédio principal da administração

P.W., H.L., A.A. e L.B. entraram na sala de aula onde S.K. estava escrevendo sua experiência da sessão da tarde. Eles lhe mostraram os objetos que haviam aparecido, de maneira anormal, no aeroporto, na noite anterior, bem como aqueles que apareceram no quarto de H.L. durante o jantar.

A.A. anunciou que um objeto estava em algum lugar na sala, apontando para fora da mesa em que o grupo estava sentado. A procura no chão perto da mesa foi improdutiva, quando H.L. e S.K. andaram para o canto mais longe da sala, em direção oposta à porta pela qual o grupo havia entrado. Simultaneamente, os dois avistaram um objeto no chão; era um anel dourado. (Uma análise feita mais tarde indicou que o metal era de uma liga metálica dourada.) O anel consistia de dois desenhos concêntricos, um de círculos grandes sobrepostos pelo segundo desenho que pode ser descrito como uma ligadura dividida em três seções de doze partes. O anel havia sido confeccionado de forma delicada e serviu apenas no dedo menor da mão esquerda de S.K. A.A. disse a S.K.: "Este é para você." Quando perguntado o que este o fazia lembrar, S.K. respondeu: "A coroa de espinhos usada por Jesus quando crucificado". Mais tarde, S.K. comentou que o presente lhe daria forças para "agüentar as cruzes" na sua própria vida. Logo em seguida, o grupo saiu da sala.

- Pessoas envolvidas: Amyr Amiden, Stanley Krippner, Pierre Weil, Harbans Lal Arora, Lindalva Barrios, Roberto Crema, Michael Winkler, Ruth Kelson
- *14h40 — 20h24*
- Local do evento: escritório de Pierre Weil no prédio principal da administração

Na mesma hora em que nosso grupo se encontrou no escritório de P.W., M.W. estava numa cabana a 210 metros do prédio principal da administração, tirando medidas geomagnéticas com o magnetômetro da Universidade de Brasília. Essa área foi utilizada por causa de sua distância de fontes de energia que pudessem obscurecer a coleta de dados. Dados geomagnéticos foram coletados a cada dois minutos, aproximadamente, das 15h12 às 18h15.

Por volta das 15h, R.C. mencionou que estava percebendo um odor forte de canela. Esse odor foi notado por todos os presentes no escritório de P.W., e A.A. afirmou que gosta muito do cheiro de canela. P.W. escreveu um bilhete, que todos nós assinamos, requisitando comunicação e metodologia para nossa pesquisa sobre a possível "inteligência transcendental" que ele havia mencionado anteriormente. Especificamente, a nota dizia: "Por favor, oriente-nos por escrito sobre o significado de suas comunicações e a metodologia de nossa pesquisa."

A.A. pediu um copo de água, dizendo-nos que serve como um "condutor" em seus fenômenos. Nesse momento, A.A. estava suando bastante e nos disse que quando havia acordado, pela manhã, não enxergava as cores. Às 15h15, R.K. fez novas medições, observando que o pulso de A.A. era 100 e seu pH 6. Às 15h17, seu pulso era 102 e A.A. declarou que sentia um gosto amargo na boca. Às 15h19, seu pulso era 126, seu pH estava entre 6 e 7 e sua pressão sangüínea era 15/9. Às 15h25, H.L., que estivera no centro de Brasília, juntou-se ao grupo.

A.A. se deleitou em contar-nos que todos os dias tem contato com seu filho e que geralmente passa o domingo todo com ele. Ele também nos disse que muitas respostas a seus problemas pessoais vêm nos seus sonhos, especialmente perguntas referentes ao bem-estar de seu filho. A.A. sentiu-se nostálgico, lembrando do "homem verde", teoricamente de outro planeta, que viu pela primeira vez quando tinha 8 anos de idade. Foi dito a ele mais tarde que esse homem e as outras "pessoas verdes" que ele havia conhecido, tinham vindo do planeta Esnak, localizado em outra galáxia. São essas as entidades, que ele denomina de "quarta dimensão", e que, segundo ele, produzem anomalias.

Às 15h25, P.W. observou um cristal muito pequeno que havia aparecido subitamente sobre a carta que havia sido mandada a ele através de fax durante o dia. A.A. conjeturou que uma gota de água havia se transformado em um cristal. S.K. sugeriu que as palavras imediatamente abaixo do cristal fossem inspecionadas. Essas palavras eram: "o Instituto Fênix para o Desenvolvimento Humano em Belo Horizonte"; o cristal estava diretamente sobre a palavra "para".

H.L. apontou a importância do que havíamos visto, relembrando-nos que as condições para o crescimento de um cristal em laboratório são extremamente complexas, envolvendo um tipo especial de "germinação" e processamento. H.L. se lembrou do evento do dia anterior no qual, durante a presença de A.A., um cristal pequeno apareceu para tomar o lugar de um pedaço de papel de alumínio que havia sido compactado. Ele nos disse que havia visto o cristal crescendo de maneira estável, aumentando seu tamanho e brilho, até que finalmente pareceu se transformar em um diamante bem cortado. H.L. perguntou a A.A. se o calor gerado para produzir tais cristais poderia ser utilizado para tratar de câncer, sugerindo que poderia ter os mesmos efeitos da terapia da radiação, mas sem os efeitos colaterais. A.A. respondeu afirmativamente.

Às 15h42, P.W. deixou seu escritório devido a um compromisso. O resto do grupo observou uma marca amarela na mão e no braço esquerdos de A.A.; às 15h44, seu pulso era 120. Discutindo sua fisiologia, A.A. fez a observação de que normalmente se sente bastante quente, mesmo em clima frio. Ele freqüentemente tem insônia; nessas noites, às vezes tem a sensação de estar levitando. A.A. freqüentemente se lembra de seus sonhos; seus conteúdos mais comuns relacionam-se a experiências de sua infância, especialmente em sua casa, no jardim e com seus gatos.

H.L. perguntou a A.A. se ele poderia ser observado quando levitando; A.A. imediatamente deu permissão para que um ou mais membros do nosso grupo permanecesse no seu quarto à noite toda para observá-lo. Essa oportunidade não ocorreu durante o período que passamos com A.A., mas discutimos maneiras de implementá-la no futuro.

Às 16h02, R.K. fez novas medições em A.A. Seu pulso era 108 e sua pressão sangüínea 15/9,5. A.A. estava suando embaixo dos braços e o suor era visível na sua camisa. A.A. mencionou que quando uma E.K.G. é administrada, a contagem da freqüência muitas vezes se modifica drasticamente durante o curso da leitura.

Quando foi perguntado sobre sua "voz feminina", A.A. declarou que esta se torna especialmente importante quando ele tem uma pergunta que não pode ser respondida com "sim" ou "não". Uma outra fonte de aconselhamento são seus sonhos, nos quais ele freqüentemente recebe respostas claras e diretas às suas dúvidas. Por exemplo, quando perguntou se devia participar desta pesquisa, Amyr sonhou que um grupo de investigadores estava sentado em volta de uma mesa com ele.

A.A. nos disse que sonha freqüentemente com os habitantes do planeta Esnak. Ele nos disse que não há noite por lá nem estrelas visíveis; está sempre claro e a atmosfera é invariavelmente rosada. Uma menina jovem, que o chama de "pai", aparece com freqüência (em seus sonhos). Em Esnak, as pessoas se reproduzem "transferindo energia". S.K. perguntou a A.A. se a menina jovem poderia ser sua filha; talvez durante um sonho ele tivesse sido capaz de "transferir energia" necessária para criá-la. A.A. disse que era possível. Da mesma forma, ninguém em Esnak precisa comer porque a "energia" é obtida através de "mecanismos de transferência".

Em Esnak, as casas são transparentes. Pessoas têm sentimentos, mas são calmas e prazerosas. Os habitantes de Esnak vêem a Terra como um planeta "em evolução", no início de sua evolução. Eles acreditam que a Terra é um planeta "feminino" e gostam dela devido a essa característica e à sua abundância de água.

Não há mortes em Esnak, somente "transformação". Quando as pessoas atingem o fim de suas vidas, elas voltam ao solo e se "transformam" em substâncias parecidas com cristal, que são a base de outras formas de vida. A.A. disse que gosta tanto do tempo que passa em Esnak que freqüentemente se arrepende de voltar à Terra. Mas ele não é o único capaz de ir a Esnak; pessoas de um planeta podem ir a outro para propósitos de evolução espiritual. A.A. chegou à conclusão de que Deus pode ser conceitualizado como "energia que pensa" e como "luz do universo".

S.K. pegou um recipiente transparente e perguntou se seria possível um objeto material aparecer dentro dele. A.A. respondeu que seria possível porque, uma vez, ele estava presente quando um objeto apareceu em uma caixa fechada que antes estava vazia. S.K. manteve o recipiente sobre a mesa durante o restante da sessão e o carregou com ele para as refeições no restaurante da Fundação. Nada apareceu no recipiente, mas, como mencionamos anteriormente, o pequeno diamante e seus papéis de embrulho haviam desaparecido de um recipiente semelhante no quarto de S.K.

Amyr relembrou fatos e contou-nos sobre sua infância, recordando que ele gostava de olhar as estrelas de noite.

A.A. nos disse que sempre sentiu emoções fortes. Um dia ele visitou uma escola para crianças portadoras de necessidades especiais e sentiu amor por elas. Assim que ele cumprimentou a equipe pelo seu trabalho, uma rosa caiu no chão. Entretanto, conhecer a fundo suas emoções tem sido importante para seu autodesenvolvimento; para que os fenômenos anormais de A.A. ocorram, ele necessita focalizar seus sentimentos quando emite energia.

Às 16h44, o odor de canela aumentou consideravelmente; A.A. sacudiu-se por um instante. Às 16h45, um avião passou sobre nós. Às 16h47, a luz sobre a mesa piscou duas vezes. A outra luz na sala não piscou. Às 16h48, R.K. ouviu algo cair, olhou para o chão e pegou um pedaço de cristal de quartzo fumegante bem cortado. De alguma forma parecia um coração com uma linha de ventrículo claramente visível. Às 16h49, R.K. monitorou A.A.; seu pH era 6, seu pulso 96 e sua pressão sangüínea 15/9.

Às 16h45, R.C. notou uma linha clara cor magenta do lado direito da página que ele havia recebido, o mesmo fax sobre o qual o cristal havia aparecido mais cedo durante a tarde. A linha se estendia por mais ou menos 18 cm e sua largura tinha por volta de 0,5 cm. Nessa hora, P.W. juntou-se ao nosso grupo. A primeira linha do fax mencionava "uma pedrinha". A sentença completa era: "Mais uma pedrinha foi coletada na mandala do nosso encontro — do Instituto Fênix de Belo Horizonte" e se referia a um sonho que ele havia discutido com o diretor do Instituto. No seu sonho R.C. estava em um deserto. Havia um círculo de pedras na areia. R.C. chegou à conclusão de que era importante completar esse círculo-mandala; caso contrário, a areia do deserto cobriria todas as pedras. O casal que se encontrava no sonho, era membro do Instituto. Em função desta sincronicidade, resolvemos denominar nosso grupo de pesquisa de Magenta e os fenômenos observados de "fenômenos Magenta".

Linhas coloridas nos fax são comuns, e a observação da linha magenta pode ser tanto uma experiência humana "comum" como uma experiência "extraordinária".

Às 17h04, R.C. ouviu um barulho perto de sua cadeira, abaixou-se e pegou um anel. O anel era decorado com cinco pedrinhas e seu tamanho sugeria ser mais apropriado para uma criança que para um adulto. R.C. se deleitou com o anel porque Isabela, sua filha de 10 anos de idade, havia perguntado sobre A.A. há pouco tempo. No carro, a caminho da escola, antes que R.C. viesse à Fundação, Isabela sentiu o perfume que exalava do seu interior e disse: "Ah, o perfume é do seu amigo, não é?", referindo-se a Amyr. R.C. pensou consigo mesmo que A.A. poderia "materializar" um anel para ela. Decidiu não expressar este desejo para ninguém de que o tal anel deveria ter uma referência à idade de Isabela. Depois que o anel apareceu, R.C. observou que tinha cinco pedras, decoradas com o que se parecia com duas pontas, uma de cada lado, somando um total de dez itens decorados — a idade de sua filha!

Às 17h05, todos nós ouvimos um som e P.W. abaixou-se e pegou uma réplica parecida com o sino que S.K. havia encontrado há alguns dias. Para P.W., a pedra com forma de lágrima (depois identificada como um ônix) simbolizava a lágrima da compaixão. Ele comentou: "Esta é a manifestação do som em energia". S.K. comentou que vinha observando A.A. de perto durante esse período de tempo e estava certo de que as mãos de A.A. haviam permanecido sobre a mesa. R.K. fez novas medições às 17h07: pH entre 5 e 6, pulso 96 e pressão sangüínea 17/11.

Às 17h10, A.A. sacudiu-se visivelmente. Rapidamente segurou sua mão direita, abriu-a e deixou cair uma jóia sobre a mesa. Ela consistia em duas partes, em formato oblongo, conectadas e feitas de liga metálica prateada, cada uma contendo um desenho feito com 23 pedrinhas. Duas pessoas observaram que um odor de canela havia se tornado muito mais forte. P.W. ligou esses últimos fenômenos paranormais à conversa que ele e S.K. haviam tido sobre um "objeto paranormal perfeito" anteriormente, naquela mesma tarde. Apesar de nunca ter aparecido para a satisfação da maioria dos parapsicólogos, um exemplo seria um par de anéis ligados sem marcas de ligadura que não pudessem ser reproduzidos por processos comuns. Outros exemplos seriam uma fotografia ou pintura emanando lágrimas, sangue ou cinzas que pudessem ser vistas e medidas, enquanto outro exemplo seria um objeto transformando sua forma e tamanho que fossem facilmente medidos e discerníveis.

H.L. nos contou uma história pungente a respeito das dores de cabeça de sua esposa. Apesar de terem diminuído um pouco desde que começou a praticar e ensinar yoga, elas persistem. Quando ela telefonou a H.L. ontem, estava sentindo muita dor. H.L. expressou o desejo de que alguma informação fosse comunicada através dos procedimentos e que fosse de ajuda à sua esposa. Para ele, os anéis interligados representavam a relação íntima entre os dois.

Às 17h31, A.A. foi à prateleira de P.W. e nos trouxe o cálice. Nesse momento, havia mais óleo dentro do cálice que havíamos visto anteriormente; as hóstias estavam dissolvidas a ponto de serem quase irreconhecíveis como itens separados. A.A. deu-nos a informação de que muitas dessas "materializações" são realmente "reproduções" ou "cópias" de objetos que já existem em algum lugar do planeta.

Às 17h45, R.C. ligou o rádio. Esse rádio pertencia à Fundação e A.A. não o havia utilizado ou mesmo o tocado até esse momento. Entretanto, vários membros do nosso grupo conversaram sobre o impacto de A.A. em sistemas elétricos que poderia ser utilizado para nos comunicarmos com os habitantes do planeta Esnak. Realmente, A.A. disse que utiliza com freqüência um rádio ou uma televisão para se comunicar com essas entidades a fim de obter informações de que necessita. R.C. saiu para um encontro logo depois de preparar o rádio para o nosso uso.

Às 17h50, A.A. pediu a S.K. que cheirasse o copo no qual ele havia tomado água mineral. Esse possuía um evidente odor de canela, uma impressão compartilhada por outros membros do grupo. A água de S.K., em contraste, não continha tal odor. Às 17h52, uma série de interrupções do tipo estático foram ouvidas no rádio, culminando no que pode ser descrito da melhor forma como um "bip". A.A. disse que isso era característico de suas próprias comunicações com os residentes de Esnak e que nós havíamos tido sucesso em estabelecer comunicação. Às 17h54, A.A. reportou que estava se sentindo especialmente frio; R.K. fez as medições, observando um pH 6, pressão sangüínea 17/9 (mais precisamente, 9,5) e pulso de 120, comentando que estava difícil encontrar o pulso de A.A.

Às 17h56, um "bip" aconteceu no rádio seguido de uma série de "outros". Por sugestão de A.A., S.K. tirou duas fotografias. De acordo com A.A., anomalias sempre aparecem nas fotos quando ele está se comunicando com os esnakianos. (Nesse caso, não se observou nenhuma anomalia quando o filme foi revelado.) Às 17h58, ouvimos uma outra série de "bips", e às 18h P.W. perguntou: "Você é da primeira dimensão?" P.W. sugeriu que um único "bip" seria uma resposta positiva e que dois "bips", uma resposta negativa. Não houve "bips" em resposta às questões de P.W., até que ele perguntou: "Vocês são da quarta dimensão?" Essa pergunta foi seguida por um "bip" que indicou uma resposta positiva. Nessa hora, L.B. entrou na sala e se juntou ao grupo pelo resto da tarde.

Às 18h02, o corpo de A.A. sacudiu-se duas vezes. Novamente, ele comentou que sua freqüência de E.K.G. se modifica mesmo quando sua pressão sangüínea está estável. R.K. mediu seu pulso que agora estava mais forte. Nesse momento, M.W. entrou na sala para dizer-nos que as baterias do magnetômetro haviam acabado. Ele observou os fenômenos "bip" por alguns minutos e voltou para o seu quarto para comparar os dados que havia coletado durante o dia.

Durante as duas horas seguintes, P.W. fez uma série de perguntas que eram freqüentemente suplementadas por L.B., R.K. e por outros membros do nosso grupo. Usando o código de "sim" e "não", uma perspectiva intrigante emergiu: os "agentes*" que produzem os "bips" se consideram como mensageiros de Deus. Eles tinham certeza de que A.A. havia tomado a decisão correta quando decidiu participar do nosso projeto de pesquisa. Os "agentes" disseram que podem se comunicar conosco por meio dos "bips" pelo rádio, mas não de forma escrita, como fora requisitado anteriormente por P.W. e por outros membros do nosso grupo. Eles são os "homens verdes" que Amyr havia visto quando jovem, e nos disseram ser possível vê-los, apesar de isso não ter ocorrido durante nossa estada.

Os "agentes" nos contaram que os objetos materiais que haviam aparecido de maneira anormal tinham significados especiais para aqueles que os receberam. Os "agentes" querem cooperar com nosso grupo, mas não com o planeta todo. Disseram que querem somente comunicar-se com um pequeno grupo de pessoas. A.A. tem que estar presente durante essas comunicações, e mais ou menos seis outros membros deverão estar na sala, ao mesmo tempo, com o grupo ou com outras pessoas que apresentam condições semelhantes. A mensagem mandada a nós é de Deus. Não é relacionada com a paz ou com a sobrevivência humana, mas é direcionada a pessoas que trabalham no campo das ciências. "Deus" foi definido como "luz, espaço e consciência" e como possuindo atributos de "paz" e de "amor".

Perguntas sobre a realidade de vidas passadas foram respondidas positivamente, mas a reencarnação não foi considerada um

---

* Achamos prudente chamar de "agentes" o que outros autores chamariam de "entidades", "espíritos" ou, no caso presente, "anjos".

fenômeno universal em todos os planetas em que exista vida. Os "agentes" também comentaram sobre várias figuras espirituais contemporâneas, bem como grupos; uma reação especialmente favorável foi dada à Igreja Unitária Universalista, fato um tanto surpreendente, considerando o pequeno número de pessoas adeptas desse movimento. Quando perguntado se A.A. era capaz de produzir um "objeto paranormal permanente", a resposta foi "sim". Quando se perguntou se a peça-jóia dada a S.K. continha uma mensagem especial para ele, a resposta foi positiva. Outras doze perguntas foram respondidas e R.K. anotou, com cuidado, cada uma delas. Quando uma pergunta foi apresentada de maneira estranha, não clara, não houve resposta. Também não houve resposta quando um assunto ou pessoa mencionados eram, de alguma forma, obscuros — talvez desconhecidos tanto para A.A. quanto para os "agentes". Quando a pergunta era reformulada, simplificada ou reapresentada com enfoque claro, a resposta era dada.

- *20h25 — 20h36*
- Local do evento: rua do restaurante da Fundação

Quando nosso grupo foi ao restaurante, S.K. estava sentado no banco de trás do carro. De repente, às 20h28, ele sentiu algo atingir seu peito com considerável força. Era uma jóia, uma liga prateada com uma pedra redonda e preta no centro, depois identificada como ônix. Havia seis bolinhas de metal em volta do círculo e outras no desenho triangular no metal. A.A. estava sentado no assento da frente com as costas viradas para S.K. A força com a qual a jóia bateu em S.K. e sua distância de A.A. foi parte de um dos eventos com mais evidência da semana, um evento que muitas pessoas considerariam ser uma contra-indicação à possibilidade de A.A. ser diretamente responsável pela aparição dos objetos por manipulação.

- *20h37 — 21h19*
- Local do evento: restaurante da Fundação (dentro e fora)

Depois de ter deixado o carro por volta de 20h38, o motorista encontrou um anel no chão e um membro do nosso grupo encontrou uma pedrinha. Enquanto estávamos na fila da lanchonete, quatro pedras, um metal e dois anéis adicionais parecem ter caído no chão. Em algumas situações, um ou mais membros do nosso grupo os viram cair.

Quando estávamos nos preparando para caminhar de volta ao prédio da administração, às 21h12, um dos serventes da cozinha achou uma medalha idêntica àquela que S.K. havia encontrado durante o percurso de carro para o restaurante da Fundação. Então, houve uma virtual "chuva de pedras", pelo menos seis delas, que caíram e foram pegas na calçada fora do restaurante ou na rua perto do carro. Tudo isso aconteceu enquanto o tempo estava chuvoso. Um relâmpago foi seguido por um estrondo de trovão; coincidindo com esse fenômeno da natureza, S.K. e vários outros membros do nosso grupo viram uma pedra negra cair do carro, na calçada.

- *21h20 — 21h36*
- Local do evento: na rua, de volta ao restaurante da Fundação

Durante a caminhada de volta, quatro membros do nosso grupo pegaram seis pedras. Todos esses fenômenos paranormais aconteceram entre 21h20 e 21h35. S.K. perguntou a A.A. se uma pedra e outros objetos poderiam aparecer de forma anormal, mas não serem encontrados. A.A. disse que isso era possível. Na manhã seguinte, a caminho do restaurante, S.K. achou uma pedrinha brilhante e colorida no lugar em que ele havia feito a pergunta na noite anterior. (Essa pedra mais tarde foi identificada como uma ágata.)

- *21h37 — 22h30*
- Local do evento: escritório de Pierre Weil, no prédio central da administração

Ao voltar para o escritório de P.W., o lugar de S.K. no grupo havia sido tomado por outra pessoa, porque S.K. achou necessário retornar ao seu quarto para escrever sobre os fenômenos do dia. Mais uma vez, R.K. tomou nota sobre cada pergunta feita e respondida. Por volta das 22h20, A.A. novamente manifestou "estigmas" nos dois lados de cada mão. Dessa vez, alguns membros do grupo cheiraram o líquido, atestando que parecia ser sangue. R.K. coletou amostras do fluido no tecido e também teve a impressão de que se tratava de sangue.

16/3/94

- Pessoas envolvidas: Amyr Amiden, Roberto Crema, Pierre Weil, Harbans Lal Arora, Ruth Kelson, Stanley Krippner, Michael Winkler
- *14h50 — 18h30*
- Local do evento: escritório de Pierre Weil, no prédio central da administração

A sessão começou com a discussão da proposta de R.K. de criar um código para que os "agentes" pudessem se comunicar conosco usando respostas mais detalhadas do que simplesmente "sim" e "não". Os símbolos do código Morse Internacional foram obtidos e escritos sobre uma prancheta.

R.K. também propôs que uma manga de tecido fosse construída para A.A., para que seu eletrocardiograma pudesse ser monitorado continuamente durante as comunicações de rádio. O grupo estava entusiasmado com esse plano. Ao voltar aos EUA, S.K. comprou um mecanismo que é fixado sobre o braço de alguém para que possa ser monitorado continuamente.

A.A. trouxe um pequeno livro para H.L. sobre as supostas aparições da Virgem Maria em Medjugorje, na antiga Iugoslávia. Ele também contou a S.K. seu sonho da noite anterior. No sonho, A.A. estava de pé sobre uma grande pedra de construção, observando muitas ruas, todas alinhadas por colunas brancas fixas. As ruas eram feitas de material sólido e todo o sonho era prístino e lindo. Vários membros de nosso grupo propuseram que as ruas eram símbolos dos vários caminhos espirituais que podem levar a uma consciência de Deus. Apesar de suas diferenças, todos os caminhos contêm beleza e todos levam ao mesmo propósito.

S.K. também contou seu sonho ao grupo. No seu sonho, ele estava segurando um cristal pequeno. Deu-o a A.A. e imediatamente ele se dividiu em cinco pedras semipreciosas de várias cores.

Às 15h04, R.K. ouviu algo cair perto da porta. Ela achou uma medalha preta e dourada com a imagem da Virgem Maria e de Jesus quando criança. Várias pessoas sugeriram a conexão entre a medalha e a figura de Maria na capa do livro de Medjugorje, que A.A. havia trazido consigo. R.K. associou a medalha com maternidade, possivelmente a sua própria.

Às 15h14, P.W. entrou na sala. Com humor, S.K. fez a seguinte observação: "Aqui está nosso Papa", e então sentiu algo bater na sua perna direita. Ao se abaixar, ele encontrou um medalhão prateado, com a figura de um pássaro superposta a uma cruz. Para S.K., o pássaro parecia um pombo da paz — um símbolo apropriado para a volta de Pierre.

Às 15h17, A.A. tremeu visivelmente e agarrou o rádio que estava ligado naquela hora. Ele disse ter visto algo voar pela sala. Uma inspeção da sala, do terraço e do chão nada revelou. S.K. observou que quando A.A. tocou o rádio, a seqüência deve ter sido interrompida. H.L. disse que os objetos "materializados" não aparecem sempre instantaneamente; há um processo envolvido e talvez a lição a ser aprendida desse incidente é que às vezes o processo não é completado imediatamente. Realmente, às 15h50, um anel foi encontrado no chão — talvez marcando o fim do processo.

P.W. propôs duas hipóteses:

1. A.A. inconscientemente se comunica com os "agentes" por meios extra-sensoriais e afeta o rádio através de meios psicocinéticos;

2. A.A. obtém informação do grupo através de percepção extra-sensorial e afeta o rádio através de psicocinese. P.W. mais tarde anulou sua segunda hipótese porque A.A. não sabe inglês, mas os "bips" sempre aconteceram apropriadamente antes de uma pergunta ser traduzida do inglês para o português. Entretanto, S.K. observou que, se a percepção extra-sensorial opera sem códigos específicos de algum idioma, a última hipótese de P.W. ainda teria que ser considerada. Mais adiante, poderão aparecer outras hipóteses viáveis.

Nossa sessão foi interrompida pela chegada de um deputado federal (membro do Poder Legislativo Brasileiro) e de sua esposa, que queriam ver A.A. Por volta das 15h55, um anel de ônix preto caiu no chão, fora do escritório de P.W., durante a conversa de A.A. com o deputado. O anel serviu perfeitamente no dedo do deputado.

Depois que a nossa sessão continuou, um barulho foi ouvido às 16h31. R.C. encontrou um anel de ônix preto, de um estilo totalmente diferente daquele encontrado antes. S.K. comentou que R.C. tinha agora um anel de A.A., como uma réplica do anel que havia aparecido para sua filha no dia anterior. R.K. monitorou A.A. às 16h35, reportando que seu pH era 6, seu pulso 96 e sua pressão sangüínea 15/11.

R.C. ligou o rádio, ajustando-o no volume e na estação que haviam sido associados aos efeitos anormais do dia anterior. P.W. fez várias perguntas, mas não houve "bips" anormais. Decidimos tomar outras medidas, simplesmente iniciando conversa sobre projetos futuros para ver se os "agentes" comentariam de alguma forma.

S.K. iniciou a conversa mencionando um livro que A.A. e o grupo poderiam escrever sobre desenvolvimento espiritual, utilizando exercícios parecidos com os de seu livro, *Personal Mythology* [Mitologia Pessoal]. O proposto livro e seus exercícios transcenderiam ideologias, no espírito das respostas dadas pelos "agentes" durante o dia anterior. Quando S.K. mencionou a possibilidade desse livro, às 17h25, um "bip" foi ouvido no rádio, aparentemente significando "sim". Quando ele comentou que o livro transcenderia ideologias religiosas, um outro "bip" foi ouvido às 17h31.

Outros tópicos de conversação que receberam reações positivas dos "agentes" foram o comentário de S.K. de que esse livro seria mais substancial que a maioria dos livros espirituais "New Age" ou Nova Era (às 17h40) e a sugestão de que o livro tivesse fundamento na história pessoal de A.A. (às 17h42). Comentários recebendo respostas negativas (ex.: dois "bips") foram a sugestão de que cada um de nós incluiria suas opiniões pessoais sobre A.A. e sobre os fenômenos associados ao livro de exercícios espirituais (17h50) e que o nome verdadeiro de A.A. não seja utilizado (17h42). Contudo, a sugestão de que uma série de artigos curtos devem preceder o livro recebeu uma resposta afirmativa (17h58).

S.K. sugeriu que deveria haver dois artigos iniciais e essa proposta recebeu resposta afirmativa dos "agentes" (18h01). S.K. sugeriu vários possíveis jornais americanos nos quais esses artigos poderiam ser publicados e uma resposta afirmativa foi dada (18h03). Quando as publicações do Instituto de Ciências Noéticas (IONS) foram mencionadas, um "bip" longo foi ouvido (18h04). Uma resposta afirmativa também foi dada à sugestão de P.W. sobre o *Jornal de Psicologia Transpessoal* (18h05) e quanto a escrever a versão técnica do primeiro artigo para um jornal científico (18h07). Esse artigo incluiria os dados fisiológicos de A.A. coletados por R.K., os dados geomagnéticos coletados por M.W. e os dados geofísicos que H.L. havia prometido localizar. Esses seriam todos correlacionados com os fenômenos anormais manifestados durante nossas sessões juntos, sua natureza e sua hora de ocorrência.

S.K. sugeriu também que os artigos fossem publicados em português, e uma resposta afirmativa foi dada (18h09). Foi bem recebida a sugestão de que A.A. aprovaria a versão final de todos os artigos publicados (18h10) e também a sugestão de S.K. de que todos os membros do grupo aparecessem como co-autores (18h11), que cada membro do grupo fosse autorizado a discutir suas experiências com A.A. em conferências profissionais (18h12) e — assim que o primeiro artigo fosse publicado — escreveriam seus próprios artigos (18h13), as últimas atividades seriam informadas aos outros membros do grupo eventualmente ausentes (18h14).

S.K. sugeriu que inglês e português sejam os dois idiomas oficiais das publicações e que representantes de publicações em outros idiomas devem obter autorização dos editores originais. Essa sugestão coincidiu com um "bip" positivo (18h16). Foi sugerido que M.W. seja incluído no grupo de autores (aprovado às 18h17) e que não nos enganemos em pensar quanto a ser este projeto o único caminho espiritual de valor no planeta hoje em dia. Stanley mencionou a atitude positiva dos "agentes" em relação à Igreja Unitária Universalista como exemplo de sua atitude ecumênica.

Às 18h19, discutimos o papel de P.W. como coordenador de um artigo, no qual a mitologia e o simbolismo dos fenômenos paranormais fossem discutidos. Sete "bips" consecutivos foram ouvidos. Isso foi uma aprovação do papel de P.W.? Foi uma aprovação do artigo proposto? Em código Morse, os "bips" soletraram SSE. Isso foi soletrado foneticamente como "sim" em português? Essa foi a sugestão de que a sociedade de Pesquisa Científica e seu jornal cuidariam da divulgação dos dados da pesquisa? Não estávamos certos. Então voltamos à discussão original, sugerindo P.W. como coordenador do artigo; nessa hora houve apenas um "bip" significando "sim" (18h22).

S.K. revelou alguns dos possíveis jornais e revistas para os quais nossos artigos, na sua versão em inglês, sejam submetidos, ex: *Jornal de Pesquisa Científica* ou *Journal of Scientific Exploration*; *Jornal de Psicologia Transpessoal* ou *Journal of Trans-*

personal Psychology; *Jornal da Sociedade Americana para Pesquisa Psíquica* ou *Journal of the American Society for Psychical Research*; *Jornal da Sociedade Britânica para Pesquisa Psíquica de Energias Sutis e Experiências Humanas Excepcionais* ou *Journal of the British Society for Psychical Research, Subtle Energies, Exceptional Human Experience*. Ele disse que uma versão longa poderia ser considerada pelo IONS para suas séries de monografias e um "bip" foi ouvido (18h24). Às 18h25, um "bip" final foi ouvido quando os "agentes" foram perguntados se seriam receptivas a idéias adicionais.

S.K. concluiu que não deveríamos ser muito ambiciosos; nem todos os dados ou interpretações precisam aparecer nos primeiros artigos. O grupo deixou o escritório de P.W. para jantar.

17/3/94

- Pessoas envolvidas: Amyr Amiden, Pierre Weil, Stanley Krippner, Michael Winkler, Roberto Crema, Harbans Lal Arora, Ruth Kelson, LeDuc Fauth, Lindalva Barrios
- *14h40 — 16h30*
- Local do evento: escritório de Pierre no prédio central da administração na Casa de Meditação

A sessão da tarde começou quando A.A. mostrou ao nosso grupo documentos atestando remissão do câncer em uma mulher com a qual ele havia trabalhado em 1989. S.K. elogiou A.A. por ter trazido esse documento ao grupo e pediu que obtivesse documentação semelhante no futuro.

Vários membros do grupo haviam visto um anel que apareceu de maneira anormal na presença de A.A., usado por Maria de La Goya, a vendedora da loja da Fundação. Quando havia visto A.A. no dia anterior, ela (a vendedora) havia pedido a ele um anel. A.A. afirmou que não tinha o poder de fazer isso. Naquela noite, foi jantar com sua secretária em um restaurante de comida natural. Quando saíram do carro, eles reportaram ver um anel cair na capota do carro. Esse é o anel que foi dado a Maria.

A.A. procurou canais de rádio até mais ou menos 107 FM, a mesma estação que acreditamos que estava ligada no dia anterior, mas R.K. pensou que se tratara de uma estação um pouco abaixo de 107, por volta dos 100. O volume estava em 1. Quando perguntado, A.A. disse que havia duas estações de FM que ele utilizava e que fez contato com os "agentes" através de estações AM.

Às 15h02, A.A. saiu da sala por pouco tempo e alguns "bips" difíceis de escutar foram ouvidos por P.W., R.C., R.K. e S.K. P.W. disse que havia apenas perguntado: "Você está aqui?" para ele mesmo. Os "bips" eram extremamente fracos. O "bip" seguinte não ocorreu em relação a uma pergunta, mas R.C. disse que havia pensado no anel de sua filha que tinha 10 esferas metálicas, sua idade exata; ademais, ele serviu perfeitamente no dedo dela.

Os sinais continuaram a ocorrer. S.K. notou que os "bips" podiam ser ouvidos a aproximadamente 40 segundos de intervalo e pensou se seria apenas um artefato de comunicação. Quando A.A. voltou à sala, os "bips" haviam cessado e não foram ouvidos no resto do dia. Para manter um mínimo de seis pessoas no círculo, como requisitado pelos "agentes", LeDuc Fauth se juntou ao grupo por várias horas até que H.L. retornou do escritório de um amigo joalheiro para quem ele havia levado várias pedras que apareceram de forma irregular.

Às 15h17, R.K. monitorou A.A.; seu pH era 6, seu pulso 112 e sua pressão sangüínea 16/10. P.W. mencionou a observação de L.B. de que quando o "Amyr mais velho" estava envolvido em "materializações", os objetos foram constantemente distorcidos de alguma forma. Exemplo: o broche encontrado no aeroporto apareceu em dois pedaços — o rasgo no ônix e mais tarde a figura de metal, o sino e o ornamento de ônix encontrados no restaurante da Fundação estavam tortos na parte superior; a ficha telefônica encontrada por H.L. não podia ser utilizada para fazer ligações interurbanas.

Amyr nos disse que acreditava que podia satisfazer o "desafio cético" colocado por um grupo de críticos de fenômenos paranormais nos Estados Unidos. Esse grupo ofereceu pagar milhões de dólares a qualquer um que pudesse demonstrar fenômenos paranormais para sua satisfação.

Nosso grupo caminhou para a Casa de Meditação, esperando que um ambiente diferente pudesse evocar fenômenos anormais. Às 16h47, já na Casa de Meditação, A.A. reportou sentir dor na parte anterior do pescoço. Ele disse a R.C. que um objeto poderia ser encontrado perto de onde estavam. Não vendo nada na Casa de Meditação, R.C. caminhou para fora e encontrou uma moeda espanhola de 5 pesetas. Às 16h51, A.A. sentiu outra dor e todos foram para fora do prédio.

A.A. pegou uma pedra atraente branca-azul e a deu para R.K. Às 16h45, várias pessoas notaram o cheiro de árvores de pinho permeando o prédio. Esse é um cheiro que A.A. diz adorar.

Às 17h35, nosso grupo voltou ao escritório de P.W. R.K. monitorou A.A., observando pH 6, pulso 104 e pressão sangüínea 14/10. Entretanto, A.A. se sacudiu quando sua pressão estava sendo medida e a leitura mudou para 17/11. Depois que A.A. disse que estava mais relaxado, sua pressão sangüínea abaixou para 16/11.

Vários membros do grupo disseram que haviam se sentido muito cansados durante o dia e que esse estado mental talvez estivesse relacionado à ausência de fenômenos. S.K. se sentiu mal porque ele não conseguia encontrar o objeto parecido com diamante durante a primeira sessão com A.A.; como resultado, H.L. não pôde levá-lo à universidade para que seu amigo o analisasse. (Como mencionado anteriormente, M.W. disse a S.K. que L.B. e S.S. haviam pedido para ver o objeto parecido com diamante na mesma noite em que este havia aparecido. M.W. havia visto S.K. o embrulhar e o colocar em uma garrafa. Mas quando a garrafa foi inspecionada mais tarde naquela noite, não foi encontrado.) P.W. havia procurado no porta-óculos o objeto parecido com diamante que havia se materializado em frente de seus olhos. Primeiramente, ele não conseguia encontrá-lo mas ele o localizou mais tarde. P.W. e R.K. deram seus objetos, parecidos com diamante, a H.L. para que seu amigo pudesse analisá-los.

Nos minutos seguintes, R.C. e LeDuc saíram do escritório enquanto L.B. e H.L. entraram. Harbans reportou que os dois cristais emprestados a ele por R.K. e R.C. foram, depois de inspecionados, identificados como diamantes. Seu amigo na universidade lhe disse que seriam necessárias semanas para produzir esses diamantes em laboratório e que 1.300 graus centígrados seriam necessários para manter seu crescimento.

A.A. nos disse que as sensações no seu pescoço que sempre precedem os fenômenos paranormais parecem ter alguma relação com o clima. M.W. chegou com más notícias de que o magnetômetro não havia durado mais de 90 minutos. S.K. disse que objeções seriam apresentadas pela maioria dos parapsicólogos devido à falta de controles durante os fenômenos de A.A. Amyr (ainda o "Amyr mais jovem") lhes disse que trabalharia na presença de um mágico e que, se fosse necessário, tiraria a roupa para que a inspecionassem.

P.W. observou que, mesmo sem um mágico, há várias características relacionadas com os fenômenos que dificultariam o reconhecimento de qualquer um que sugerisse manipulação, ilusão (trabalho de um mágico) como fator explicativo. Por exemplo, o odor parecido com perfume associado a A.A. sempre impregna a sala por vários dias depois da partida de A.A.; um odor parecido é algumas vezes detectado antes da chegada de A.A.; o cálice no escritório de P.W. continuou a emanar um líquido parecido com óleo por vários dias depois que A.A. havia deixado as imediações da Fundação.

Às 19h20, a sessão terminou. Os membros restantes do grupo (A.A., R.K., H.L., S.K., P.W. e L.B.) fizeram declarações relacionadas com sua participação no projeto. A.A. agradeceu ao grupo por sua atitude positiva no sentido de trabalhar com "o coração aberto". Ele disse que havia esperado um longo tempo por essa oportunidade.

- Pessoas envolvidas: Amyr Amiden, Stanley Krippner, Michael Winkler e Pierre Weil
- *17h32 — 18h10*
- Local do evento: Aeroporto Internacional de Brasília

No dia em que S.K. e M.W. foram embora de Brasília, P.W. os levou ao aeroporto. Para sua surpresa, A.A. também apareceu lá. Parecia estar entusiasmado com as sessões de pesquisa e expressou o desejo de cooperar com projetos futuros. O odor semelhante a perfume, tão característico da presença de A.A., parecia emanar dele e permeava a sala quando S.K. e M.W. foram embora para embarcar no avião. Dados consideráveis foram coletados e surgiram várias idéias, para projetos futuros, que fazem jus aos fenômenos paranormais dos quais ele havia participado durante nosso tempo juntos.

- Pessoas envolvidas: Amyr Amiden, Roberto Crema, Stanley Krippner, Pierre Weil
- *14h10 — 18h30*
- Local do evento: escritório de Pierre Weil

S.K. havia trazido vários membros do Instituto de Ciências Noéticas (Institute of Noetic Sciences) para o Brasil, por duas semanas, visitando centros espirituais e sessões de cura. O grupo passou a manhã na Cidade da Paz. Coincidentemente, era o sétimo aniversário da fundação do Centro. Enquanto o grupo continuou viagem, S.K. permaneceu para estar presente no almoço de comemoração do aniversário e para se encontrar com A.A., R.C. e P.W. Esse encontro teve início às 14h10 no novo escritório de P.W. no prédio central da administração. Os quatro passaram mais de três horas em visita, revisando o documento de pesquisa que estava sendo preparado para publicação

(Krippner *et al.*). R.C. observou que fenômenos não acontecem quando A.A. está engajado em pensamento lógico e racional; como resultado, isto não prejudica seu trabalho profissional. S.K. afirmou que as sugestões propostas de mudanças no documento, feitas de uma tradução do manuscrito em inglês, foram bastante pensadas e apropriadas. Terminada a revisão, A.A. perguntou a razão da necessidade de uma pesquisa adicional. Naquele momento, por volta de 17h15, P.W. notou a presença de uma pequena ágata acomodada num pequeno pedaço de pão de queijo no centro da mesa. De acordo com todos nós, nenhum membro do grupo havia pegado um pedaço de pão de queijo, por pelo menos 30 minutos. S.K. disse: "Aqui está a sua resposta! A pesquisa é necessária para alimentar as pessoas. As ciências precisam dessa informação para que possam construir um novo paradigma que represente de forma mais completa a totalidade da existência humana."

O som de um trovão foi ouvido e A.A. começou a enxergar cores. Chamou-lhe, especialmente, a atenção a cor índigo do abajur suspenso como uma réplica quase perfeita da cor do abajur sobre a mesa. Ele começou a friccionar as mãos e, assim que as abriu, por volta das 17h30, observamos um grande pedaço de quartzo índigo berilo. A aparência semelhante das três cores era de se notar. Inspecionamos o chão do escritório para ver se algum outro objeto havia aparecido, mas nada foi encontrado. Estávamos certos de que A.A. não havia estado naquele escritório; portanto, essa seria a primeira vez que ele tinha observado a cor índigo nos abajures.

Por volta das 17h45, P.W. observou que quando fechava os olhos, via a cor azul. Nada foi concluído de sua observação até que ouvimos um barulho forte. S.K. olhou para o chão. A algumas polegadas dos seus pés, ele encontrou um grande livro azul, escrito por P.W. Quando o trouxe para a mesa, P.W. o abriu e todos nós observamos várias anotações feitas à mão. P.W. nos disse que era a sua letra e que ele estava revisando esse livro em outro escritório perto de onde estavam. Ele foi ao seu escritório para procurar o livro e não o encontrou. S.K. também saiu do escritório para fazer um telefonema. Ele estava especulando sobre várias hipóteses possíveis para o que acabara de ocorrer. Por volta das 18h05, quando estava telefonando, ele viu algo cair do teto e bater na mesa do grupo. Em retrospectiva, o que havia sido planejado como um simples encontro de negócios, foi concluído de maneira inusitada.

REFERÊNCIAS

KRIPPNER, S., Winkler, M., Amiden, A., Crema, R., Kelson, R. Lal Arora, H., Weil, P. Dados fisiológicos e geomagnéticos correlacionados a fenômenos aparentemente anormais observados na presença de um sensitivo brasileiro.

KRIPPNER, S., Bergquist, C., Bristow, J., Carvalho, M. de, Gold, L., Helgeson, A., Helgeson, D., Lane, J., Petty, W., Ramsey, G., Raushenbush, M., Reed, H. & Robinson, S. (*em impressão*). O Fenômeno Magenta. Primeira Parte: almoço e jantar em Brasília, fevereiro,1993. *Experiência Humana Excepcional.*

CAPÍTULO 3

Uma investigação hermenêutica e fenomenológica

Pierre Weil, Amyr Amiden, Stanley Krippner, Harbans Lal Arora, Michael Winkler, Ruth Kelson e Roberto Crema

[Experiência Humana Excepcional 18(3): Materializações]

PRÓLOGO

Em 15 de março de 1994, nós nos encontrávamos em Brasília, capital do Brasil, conduzindo uma investigação dos fenômenos presumivelmente paranormais, que ocorrem na presença de Amyr Amiden (A.A.), eventos sobre os quais este "sensitivo" declara ter pouco controle consciente. Às 16h55, Roberto Crema (R.C.), um antropólogo e membro da nossa equipe de pesquisa, notou uma listra magenta brilhante no lado direito de um fax que ele havia recebido mais cedo, naquele mesmo dia. A listra tinha cerca de 18 polegadas de comprimento por 2 polegadas de largura. A primeira linha do fax mencionava uma "pedrinha" ou "*a little stone*". A frase completa dizia: "Mais uma pedrinha foi coletada na grande mandala do universo holístico, além dos limites do plano central." Linhas coloridas não são fenômenos estranhos em transmissões de fax, mas nenhum dos membros do grupo se lembrava de ter visto uma listra tão vívida anteriormente. Apesar disso, a atenção deles poderia ter se direcionado a um fenômeno ainda mais incomum; um pequeno cristal apareceu no mesmo espaço daquele fax, sob condições aparentemente paranormais, poucos minutos mais cedo. Alguns dias mais tarde, esse cristal foi identificado como diamante, por um joalheiro de Brasília. Os investigadores decidiram nomear a si próprios como o "Grupo Magenta" e referir-se aos eventos que ocorrem na presença de Amiden, como o "Fenômeno Magenta". O primeiro relatório sobre o Fenômeno Magenta foi escrito por um grupo de norte-americanos (Krippner *et al.*, 1994) afiliados ao Institute of Noetic Sciences (IONS). O líder do grupo, Stanley Krippner (S.K.), foi apresentado a A.A. por Pierre Weil (P.W.), um psicólogo, em 17 de fevereiro de 1993, e S.K. apresentou A.A. aos membros do grupo do IONS, naquele mesmo dia, mais tarde. Os eventos presumivelmente paranormais, que ocorreram subseqüentemente e as experiências humanas excepcionais que eles desencadearam, foram os assuntos do relatório. (Para um histórico completo dos eventos publicados previamente, que eram possivelmente ou aparentemente paranormais, vide Krippner *et al.*, 1994 e Krippner *et al.*, 1996.)

O segundo e terceiro relatórios sobre o Fenômeno Magenta foram escritos pelos membros da nossa equipe de pesquisa: P.W., S.K., R.C., Ruth Kelson (R.K., uma física brasileira), Harbans Lal Arora (H.L., um físico indiano) e Michael Winkler (um estudante graduado em psicologia dos Estados Unidos). Com o espírito de colaborar com a pesquisa, A.A. tornou-se um membro de nossa equipe de pesquisa e co-autor do segundo relatório.

O segundo relatório descreve o processo de avaliação, pelo qual os eventos foram classificados como "aparentemente paranormais", e apresentadas, detalhadamente, cada uma das 20 sessões realizadas com A.A. (Krippner *et al.*, 1995). Uma avaliação quantitativa dessas sessões também foi publicada (Krippner *et al.*, 1996).

Este é o quarto relatório sobre o Fenômeno Magenta, que confere um enfoque hermenêutico e fenomenológico a esses eventos. A hermenêutica é tanto uma arte como uma ciência; ela trata da interpretação dos significados latentes e entendimentos expressos nos textos e estruturas humanas, como por exemplo, a linguagem (verbal e não-verbal), instituições, tecnologias e objetos de um tempo e espaço específicos. Os enfoques hermenêuticos são tipicamente fenomenológicos naquelas propriedades dos textos e estruturas, e não podem, em princípio, ser fixados, pois eles estão em função da experiência reflexiva e da interpretação consensual (Margolis, 1989, pp. 27, 357). Ao contrário das ciências sociais "objetivas", a hermenêutica não se esforça para decodificar dados, mas enfatiza a interpretação dos significados como experimentados pelos indivíduos, cujas atividades estão enraizadas num dado contexto sócio-histórico.

Os escritores hermenêuticos freqüentemente assumem a posição de que os humanos são criaturas que buscam entender e interpretar eventos, este é seu modo fundamental de "estar no mundo". O método hermenêutico utiliza a descrição qualitativa, o entendimento por analogia e modos narrativos de exposição (Messer, Sass, & Woolfolk, 1990); além disso, é um instrumental de pesquisa adequado para as investigações de experiências humanas excepcionais. White (1985) chamou atenção para tal enfoque com experiências físicas espontâneas e, mais tarde (White, 1990), com todos os tipos de experiências excepcionais ou paranormais. Em seus comentários sobre as experiências publicadas em *Exceptional Human Experience,* e em seus diálogos publicados com colaboradores, este enfoque tem se mostrado útil.

Pós-modernistas são suspeitos de "metanarrativas"; J.F. Lyotard (1984) ressalta que esses sistemas de pensamento "tipicamente suprimem as diferenças, de forma a legitimar sua própria visão da realidade" (p. 26). Entretanto, narrativas específicas são usadas como "textos" em estudos fenomenológicos e hermenêuticos. Os investigadores pós-modernos reconhecem que relatos pessoais, incluindo aqueles que descrevem experiências humanas excepcionais, são, pelo menos em certos aspectos, construídos culturalmente e fortalecidos por outros relatos de significância local. O pesquisador pode procurar por temas comuns a essas narrativas, tanto dentro de uma cultura, como transculturalmente.

Por exemplo, Carl Jung (1953) escreveu que "a característica essencial da hermenêutica (...) consiste em fazer sucessivas adições de outras analogias à analogia dada por um símbolo (...) Este procedimento amplia e enriquece o símbolo inicial, e o resultado final é um quadro infinitamente complexo e variado" (p. 287). Esta descrição informa o enfoque que nós demos aos objetos que surgiram sob condições aparentemente paranormais, em nosso trabalho com A.A. A hermenêutica de Jung tem sido descrita como a "hermenêutica do símbolo", que é flexível, pluralista, comparativa e interdisciplinar, "uma postulação de significados", em vez do descobrimento de um único significado (Barnaby & D'Acierno, 1990, p. xvii). Existem muitas diferenças entre os enfoques hermenêuticos, por exemplo, o crítico em oposição ao cultural, o metodológico em oposição ao ontológico, o modernista em oposição ao pós-modernista, o progressivo em oposição ao regressivo. Entretanto, o enfoque junguiano é amplamente baseado, permitindo-nos explorar experiências humanas excepcionais que giraram em torno do Fenômeno Magenta e associadas aos próprios objetos manifestados.

EXPERIÊNCIAS HUMANAS EXCEPCIONAIS

White (1995) tem sugerido que experiências paranormais são experiências humanas excepcionais (E.H.Es) *em potencial*.

Mas para serem classificadas como uma E.H.E de fato, um evento precisa ser "humanizado", isto é, o pesquisador tem que aceitá-las como autênticas e identificar-se com elas de alguma maneira. Eventualmente, em seguida à E.H.E, o pesquisador se "transforma", conceitualizando a E.H.E como sendo um aspecto de um repertório maior de atividades humanas em potencial, mesmo que muitos outros neguem sua autenticidade e significância. Apresentando exemplos de E.H.Es associados a A.A. e agregando aos objetos associados a esses eventos as nossas análises hermenêuticas, fica evidente que esses incidentes continham o que White (1995) descrevia como sendo "potencial de transformação".

Primeiro exemplo: Em 1883, um padre italiano, D. Bosco, teria tido um sonho sobre uma cidade que seria construída entre os paralelos 15 e 20 de latitude sul, dentro de três gerações no futuro, e que seria o berço de uma "nova civilização". Em 1992, P.W. levou A.A. a sua primeira visita à "Granja do Ipê", sede da Universidade Holística Internacional de Brasília. A um certo ponto, eles se dirigiram à Pirâmide de Dom Bosco, um memorial sagrado ao padre e ao seu sonho profético; Brasília está realmente localizada entre os paralelos 15° e 20° de latitude sul, e muitos de seus residentes acreditam que eles são os pioneiros de uma "nova civilização".

Logo depois de terem chegado, um líquido que se assemelhava a sangue apareceu na testa e nas mãos de A.A.; uma averiguação feita por P.W. nos pés de A.A. também revelou ali uma substância vermelha. Ao mesmo tempo, P.W. notou uma folha seca no chão; um retrato multicolorido de D. Bosco, aparentemente pintado, poderia claramente ser discernido em um dos lados da folha.

Enquanto P.W. e A.A. continuavam seu passeio pelo campo, eles chegaram a uma pequena cachoeira. Novamente fizeram uma parada e P.W. observou, aos seus pés, um pequeno pedaço de papel, que tinha um retrato de Santo Antão, fundador de ordens monásticas no século IV, muito popular no Brasil. De todas as centenas de padres e monges que têm seguidores, é notável que os dois cujos retratos apareceram sob condições presumivelmente paranormais são aqueles associados ao Brasil e, no caso de D. Bosco, ao monumento em sua homenagem. (A identificação de P.W. dos retratos foi feita com base nas semelhanças entre eles e pinturas famosas dos dois santos, mas a falta de equipamento fotográfico, combinado com o descaso em relação a uma documentação mais rigorosa, impossibilitam uma identificação absoluta das duas figuras.)

Voltando à sede da Universidade, A.A. observou um quadro de um líder político brasileiro, Israel Pinheiro, pendurado no corredor. No quadro, Pinheiro está cercado por pássaros. Quase imediatamente, um medalhão caiu ao chão com a efígie do fundador da Ordem Franciscana, do século XII, São Francisco de Assis. A.A. e P.W. comentaram sobre as semelhanças do quadro de Pinheiro e das várias representações de São Francisco, rodeado por pássaros. Mais tarde, P.W. deu o medalhão a Bené Fonteles, músico e artista residente na Universidade, um admirador de São Francisco.

P.W. considerou essa série de eventos como sendo evidentes; teria sido difícil para qualquer um ter escondido dúzias de retratos e medalhões em bolsos secretos, produzindo astutamente aqueles que guardassem relação com um dado ambiente. O interesse de P.W. aumentou mais ainda com a visita seguinte de A.A., quando um cristal surgiu, sob condições aparentemente paranormais, sobre a mesa de seu escritório.

Segundo exemplo: Em 1993, A.A. estava jantando no restaurante da Universidade com P.W. e vários outros membros da diretoria da Universidade Holística Internacional. Um deles perguntou a A.A. que espécie de objeto apareceria em um "ambiente holístico". Alguns minutos depois A.A. pegou um guardanapo de papel que estava sobre a mesa e pediu a P.W para escrever nele a data corrente. Então, dobrou o guardanapo em quatro partes e o deu a P.W., pedindo para que ele o guardasse em seu escritório. Foi o que P.W. fez e continuou seu trabalho com A.A., saindo depois disso. Ao retornar ao seu escritório, P.W. notou que 32 segmentos do guardanapo estavam torcidos em formas espirais. Após uma reflexão, P.W. concluiu que aquilo era análogo a um holograma, talvez demonstrando como a mesma forma pode existir em cada parte do universo. Ele também se lembrou do fato de que, durante a semana, havia estudado galáxias espirais e a hélice espiral dupla do DNA. A interpretação de P.W. deste símbolo, em resposta ao questionamento anterior, foi a de que "em um ambiente holístico, hologramas aparecem".

No mês seguinte, A.A. visitou novamente a Granja do Ipê e P.W. mostrou-lhe o guardanapo de papel, agora torcido em uma forma espiral. A.A. pegou um pedaço de papel de tamanho semelhante, da mesa de P.W., e o colocou perto do guardanapo. P.W. e A.A. deixaram o escritório e, quando retornaram, notaram que o segundo pedaço de papel se assemelhava ao primeiro, contendo também 32 espirais. Baseando-se nesse evento, P.W. deduziu que a sua interpretação sobre hologramas em ambientes holísticos havia se confirmado. Ele também chegou à conclusão de que a presença de A.A. não era sempre necessária para a ocorrência de eventos aparentemente paranormais.

Terceiro Exemplo: Em abril de 1993, quando S.K. e o Grupo do IONS se encontraram com A.A., um pequeno retrato de São Francisco de Assis apareceu sob condições presumivelmente paranormais. A psicóloga brasileira que o encontrou no chão, dobrado, comentou que seu filho, um fazendeiro, considera São Francisco como sendo seu protetor, porque ambos gostam da presença de pássaros e animais. Outro membro do grupo relatou que havia observado um retrato semelhante "flutuando pelo ar", constatando que era uma representação do Menino Jesus de Praga. Outro membro do grupo afirmou: "O pensamento passou pela minha mente... de que o retrato do Menino Jesus de Praga era realmente destinado a mim. Por toda a minha juventude, minha mãe guardou uma estátua do Menino Jesus de Praga sobre a nossa televisão, semelhante ao retrato." No entanto, A.A. disse a outro membro do grupo: "É para você." Esse comentário se opôs à interpretação do membro do grupo do IONS, mas pode indicar que não se deve esperar que A.A. tenha intuições sobre todos os objetos manifestados. No caso das E.H.E a experiência pertence ao paranormal, que se torna a autoridade final sobre os seus significados.

Alguns minutos antes, A.A. havia demonstrado sangramentos estigmáticos quando S.K. começou a discutir um incidente na vida de Jesus Cristo. A.A. foi criado como muçulmano. Este incidente tinha um significado especial para S.K., que explica estigmas dentro de um arcabouço psicofisiológico e tem, repetidamente, afirmado que eles podem ocorrer em membros de qualquer credo que tiverem conhecimento da história da Crucificação e, dadas as devidas circunstâncias, também em quem não tiver nenhuma orientação religiosa (p. ex., Ratnoff, 1997, p. 156). Em 1972, uma jovem batista manifestou estigmas na Califórnia em um período de três semanas, precedendo ao Domingo de Páscoa (Early & Lifschutz, 1974). S.K também dá uma considerável ênfase ao impacto de representações artísticas da Crucificação, a maioria das quais mostra os pregos perfurando as palmas das mãos de Jesus; na verdade, os pregos provavelmente foram postos sobre os pulsos da vítima, onde a estrutura óssea daria sustentação suficiente para segurar o corpo na cruz durante o tempo necessário para que a morte ocorresse. Mesmo assim, os pregos não foram mostrados em representações da Crucificação até o século V. A prática romana mais comum era a de amarrar a vítima à madeira com tiras de couro (Ratnoff, 1997). Conseqüentemente, os estigmas de A.A. não eram paranormais.

Quarto exemplo: Em março de 1994, nosso grupo teve 20 sessões com A.A. em vários locais da Universidade. Como nós seguíamos um modelo de pesquisa colaborativa, A.A. foi considerado um membro da equipe de pesquisa.

Depois que as sessões foram concluídas, análises quantitativas foram feitas das correlações psicofisiológicas e geomagnéticas dos eventos, e se chegou à conclusão de que foram "aparentemente paranormais" (Krippner *et al.*, 1996). Mais tarde, uma perspectiva hermenêutica foi utilizada para os objetos que apareceram sob condições aparentemente paranormais. Por exemplo, durante a quarta sessão, realizada no restaurante da Universidade, com A.A., S.K., M.W, P.W. e dois membros da diretoria, P.W. comentou que "o presente perfeito para um cientista" seria um objeto holográfico. Mais para o final do jantar, P.W. pegou um guardanapo usado, que estava sobre a mesa, observando várias características estranhas. Parecia que o guardanapo havia sido cuidadosamente dobrado, de maneira que aparecessem 32 segmentos. Em cada um desses segmentos, havia um desenho espiral rudimentar, como se o guardanapo tivesse sido torcido 32 vezes. Algumas das torcidas eram para a direita e outras para a esquerda. P.W. deu o guardanapo a S.K. para que ele o guardasse, comentando que "eles estão falando conosco através de símbolos", e S.K. escreveu a data no canto do guardanapo.

Quando S.K. voltou à Califórnia, enviou o guardanapo a John Stahl, que era do ramo de produtos de papel especiais. Stahl inspecionou o guardanapo e escreveu: "Ele parece ter sido dobrado e redobrado várias vezes, não necessariamente seguindo um padrão. Existem aparentemente 32 pequenos retângulos formados pelo dobramento do papel pela metade 5 vezes. Eu vejo ainda as dobras curvilíneas que corresponderiam aos 32 retângulos. Elas poderiam ter sido feitas por um polegar. Chamá-las de espirais seria leviano, embora tenham direções definidas. É possível identificar vários dos locais onde as "dobras" formam imagens-espelho, indicando que elas foram impressas no papel depois dele ter sido dobrado. Pode-se dizer que, quanto às direções serem determinadas, elas estão em número igual para cada direção. Suponho que você não queria interferir nas minhas observações imparciais me contando a importância histórica do papel, mas eu devo admitir que estou ficando curioso."

Quinto exemplo: Lindalva Barros e Sonia Sanchez, ambas com cargos de chefia na universidade, também estavam presentes na quarta sessão com A.A. no restaurante. Durante o jantar, Lindalva Barros recebeu um telefonema da filha que estava em S. Paulo. Alguns minutos depois, quando ela estava lavando a louça na cozinha, um medalhão religioso apareceu no chão, aparentemente em condições anômalas. Quando ela voltou, foi-lhe mostrada a medalha, que tinha imagens de Jesus e da Virgem Maria, além da palavra "Fátima". Ela estava muito animada, dizendo que a filha havia feito um pedido específico de uma medalha de Fátima havia poucos dias. S.K. notou que na cidade de Fátima, em Portugal, existe uma igreja católica, onde, diz-se, houve aparições da Virgem Maria, mas que Fátima também era o nome da filha de Maomé. Logo em seguida a essa discussão, A.A., que diz achar inspiração tanto nos ensinamentos cristãos quanto nos do Islamismo, abriu a mão, mostrando outra medalha, com a efígie da Virgem Maria. Com entusiasmo, Sanchez abriu a sua bolsa e dela tirou uma cópia idêntica da medalha.

Sexto exemplo: A sétima sessão com A.A. se deu no Aeroporto Internacional de Brasília, assim que H.L. chegou de Fortaleza. Ele foi recebido por A.A., por P.W. e por Lindalva Barros. Querendo ligar para sua mulher, que havia passado mal na noite anterior, mas não tendo uma ficha, H.L. ficou feliz ao achar uma na calçada. Para sua tristeza, a ficha não servia. Mas, logo em seguida, ele achou outra que poderia usar. Mas H.L. foi impelido para trás, ao ouvir um barulho estranho saindo do orelhão; quando o barulho finalmente parou, ele conseguiu fazer a ligação. Falando com ela, ele nos disse que ela estava para ligar para a universidade para saber se ele tinha chegado bem.

Depois que H.L. pôs o telefone no gancho, Lindalva Barros achou uma nota amassada de 100 cruzeiros no chão do aeroporto. A.A. previu que o último número da nota seria "8", e ele estava certo. Quando Lindalva disse que o seu "número preferido" era o "8", A.A. disse que o número da nota dela era parecido com o número de uma nota que estava no bolso de P.W. Este checou os seus bolsos achando apenas uma nota de 100 cruzeiros, cujo número de série era A0875097782A; o número da nota de Lindalva era A1135091128A.

Sétimo exemplo: A oitava sessão se deu dentro e nos arredores da sala de P.W. na universidade; nosso grupo inteiro estava presente. No final da tarde, um líquido oleoso no formato de coração que exalava um perfume, apareceu na parede do corredor. H.L., ainda preocupado com a saúde da sua mulher, interpretou o coração como sendo o símbolo do amor deles. P.W. também se identificou com o coração, reconhecendo o perfume como o cheiro pelo qual ele reconhecia a presença de A.A. Pelo que sabíamos, ele não tinha chegado perto daquela parede antes de percebermos o líquido, dando credibilidade à convicção de P.W. de que A.A. não precisa estar fisicamente em um local para que uma anomalia ocorra.

Mais ou menos uma hora depois, H.L. foi para o seu quarto. Entusiasmado, ele trouxe uma placa de metal que havia encontrado no chão. A placa parecia ter vindo da Índia e tinha símbolos similares àqueles que ele havia observado no *ashram* de Sai Baba, um líder espiritual polêmico. Muitos observadores dizem terem visto fenômenos estranhos ao visitarem o Sai Baba, mas — diferentemente de A.A. — o guru indiano nunca permitiu que observações científicas fossem feitas (Harraldsson, 1987).

Oitavo exemplo: A nona sessão com A.A. foi no restaurante da universidade; H.L., P.W. e Lindalva Barros estavam presentes. A.A. dirigiu a atenção do grupo para uma gota d'água bem em frente a eles. Enquanto eles olhavam, a gota pareceu se solidificar e virou um cristal. Esse foi o segundo cristal a aparecer sob circunstâncias anômalas naquela semana; o primeiro cristal apareceu na oitava sessão e um terceiro na décima primeira. Sobre o cristal anterior, A.A. tinha feito um comentário apropriadamente hermenêutico: "Não é o valor do diamante que é importante; o sentido do evento é a transparência do mundo, a transparência da nossa consciência."

Vinte minutos depois, voltando do restaurante, uma medalha religiosa caiu no ombro de P.W., depois sobre seu joelho e, em seguida, na estrada. Ao ser inspecionada, notou-se que havia várias inscrições em latim, da qual a mais proeminente se traduziria por "Paz e Ciência". No dia 21 de maio de 1994, P.W. escreveu o seguinte para S.W.: "Quando eu estava em Paris, visitei a Igreja da Peregrinação de *Notre Dame des Medailles* [Nossa Senhora das Medalhas]. Surpresa! Achei, em promoção, a medalha que caiu em mim com a inscrição de *Pax*! Ela é uma representação de São Bento, o fundador da Ordem Beneditina, cuja vida foi dedicada a pregar a paz."

No dia 9 de setembro de 1996, o Dr. Harald Wallach da Universidade Albert Ludwig da Alemanha, escreveu para S.W. uma carta na qual ele comentava a ilustração que havia aparecido em uma publicação anterior sobre A.A. (Krippner, Winkler, Amiden, Crema, Kelson, Lal Arora & Weil, 1996). Wallach escreveu: "As fotos das medalhas religiosas no final da publicação... são espécimes fiéis da Medalha de São Bento; um amuleto popular usado na Europa Central, feito e distribuído apenas por beneditinos. As mais antigas datam do século XV. Elas continham anagramas de palavras mágicas usadas para combater o Mal. As letras na cruz liam: *Crux Sacra Sit Mihi Lux, Non Draco Sit Mihi* (isto é: 'Que a cruz santa seja a minha luz, que o diabo não seja o meu guia'). As quatro letras ao redor da medalha são: *Crux Sancti Patris Benedicti* (isto é: 'Cruz do santo pai Bento'). O dia em que elas apareceram, 14 de março de 1994, curiosamente, era perto da data de sua morte, que era 21 de março."

Nono exemplo: Nosso grupo todo estava presente durante a décima primeira sessão com A.A., que foi na sala do P.W. Além dos aparecimentos anômalos de outro diamante e de uma faixa 'magenta' (cor vermelho-arroxeado) que chegou em um fax, R.C. ouviu um barulho estranho vindo de debaixo da sua cadeira. Abaixando-se, ele pegou um anel do chão, que pelo tamanho seria mais adequado para uma criança usar do que um adulto. O anel tinha cinco pedras, seguras por dois pinos cada. No dia 30 de maio de 1994, R.C. escreveu para S.K.: "O pequeno anel tem uma história muito interessante. Quando eu levei minha filha de dez anos, Isabela, ao colégio naquela manhã, ela sentiu o perfume típico do Amyr no carro e me fez perguntas sobre ele. Depois eu me juntei ao Grupo Magenta, e quando entrei na sala do Pierre, pensei que seria legal se o Amyr 'materializasse' um anel para a Isabela, mas quis que a idade dela fosse indicada no anel. Desejei aquilo mas não falei para ninguém. Alguns minutos depois, o anel se 'materializou', decorado com cinco pequenas pedras com dois pinos cada uma: exatamente dez pinos. Quando o dei para Isabela à noite, ela ficou muito feliz e o colocou no dedo, pois ela queria usá-lo imediatamente. O anel encaixou-se perfeitamente no dedo da menina!

"O pequeno diamante foi 'materializado' em uma carta que eu havia recebido via fax. Duas semanas atrás, em 18 de maio eu acho, encontrei Amyr na Fundação Cidade da Paz, e ele me disse que achava e sentia que o diamante estava crescendo um pouco. Mais tarde, quando eu já estava em casa, olhei para ele e estava maior. Eu não sei exatamente o quanto, mas está maior agora, eu tenho certeza."

Décimo exemplo: Mais tarde, mas ainda na décima primeira sessão, um broche com formato de sino caiu no chão. Para P.W., esse objeto com formato de lágrima simbolizava a lágrima de compaixão de Buda e, ao mesmo tempo, o sino budista *Vajra* — que também simbolizava compaixão. P.W. comentou que "Isto é manifestação do som como energia".

S.K. contou a A.A. sobre a busca de parapsicólogos por um "objeto paranormal permanente", e A.A. sentiu-se confiante de que tal objeto poderia ser produzido. S.K. afirmou que esse objeto seria o "santo Graal" da pesquisa parapsicológica, algo de imenso valor mas provavelmente inefável. Logo depois dessa discussão, um par de anéis ligados, que era decorado com ornamentos belíssimos, caiu sobre a mão esquerda de A.A. e, depois, no chão onde H.L. os pegou. Para H.L., os anéis simbolizavam a profunda intimidade que ele tinha com a sua mulher, a preocupação dela de ele chegar com segurança a Brasília e a dele em relação à saúde dela.

Décimo primeiro exemplo: A décima segunda sessão com A.A. foi no carro, a caminho do restaurante da universidade. S.K. estava no banco de trás, especulando para si mesmo se o aparecimento dos anéis ligados teria sido ou não um truque de mágica. De repente, enquanto ele estava tendo esses pensamentos céticos, sentiu algo bater fortemente no seu peito. Era uma jóia, uma liga metálica prateada com um ônix preto redondo no meio. Havia seis pequenas bolas de metal em volta do ônix e várias outras na estrutura metálica de *design* triangular. Nessa hora, A.A. estava sentado no banco da frente, olhando para a frente e com o banco separando os dois. A força com que o objeto bateu em S.K. fez com que o seu aparecimento fosse um dos eventos mais importantes da semana. Algum tempo depois, um joalheiro de São Francisco identificou o broche como sendo possivelmente da ilha de Bali, lugar que S.K. tinha visitado e onde escreveu um livro: *Psiquiatra no Paraíso — Tratando Doença Mental em Bali —* Thong, com Carpenter & Krippner, 1993.

Depois do jantar (sessão treze), enquanto A.A., R.K., S.K., H.L. e P.W. se preparavam para sair do restaurante e ir para sala de P.W., começou a chover forte. Já haviam ocorrido então 16 eventos anômalos. Todos eles com anéis, medalhas e pedras caindo no chão do restaurante ou no chão não muito longe do restaurante. Enquanto A.A. ainda estava dentro do restaurante, S.K. viu uma pedra preta cair do céu logo depois de ter visto um raio e de ter ouvido um trovão. A pedra bateu no pára-choque do automóvel e quicou para o chão perto do restaurante. Novamente, o evento poderia ser interpretado como uma resposta à atitude cética de S.K.

S.K. ainda presenciou um incidente final enquanto caminhava com o nosso grupo de volta para a sala da sessão quatorze, uma caminhada na qual 4 membros do grupo pegaram 6 pedras no caminho. S.K. perguntou a A.A. se uma pedra ou outro objeto qualquer poderia ser produzido por meios anômalos sem ser descoberto imediatamente. A.A. respondeu que isso era possível. Na manhã seguinte, indo para o restaurante, S.K. pegou uma pequena pedra brilhante na área onde ele havia feito a pergunta na noite anterior. Esse episódio poderia ser interpretado como a terceira resposta ao ceticismo de S.K. É interessante lembrar que cada um dos três eventos ocorreu enquanto A.A. fazia alguma coisa em outro lugar.

Décimo segundo exemplo: Durante a nossa décima sexta sessão com A.A., no escritório de P.W., com o grupo todo presente, um medalhão caiu ao chão. R.K. o pegou e notou que havia uma representação do Menino Jesus com a Mãe Maria. Como ela também era mãe, facilmente se identificou com o objeto.

Dez minutos depois, S.K. pegou outro objeto que havia caído, de origem desconhecida. Sob inspeção, viu-se que ele continha a representação de uma pomba com uma cruz; vários membros do grupo viram uma conexão entre esses símbolos e a nossa localização na Fundação Cidade da Paz. Este foi o último medalhão a aparecer nas nossas vinte sessões com A.A., e continha símbolos apropriados, representando as mais altas aspirações dos membros do Grupo Magenta, isto é, paz e espiritualidade.

EXEMPLO	DATA	EVENTO
1	1992	P.W. observa estigmas em A.A., retrato e medalhão de Santo Antão. P.W. observa cristal.
2	1993	P.W. observa guardanapo holográfico. P.W. observa segundo guardanapo holográfico.
3	1993	Grupo do IONS acha retratos de S. Francisco e do Menino Jesus de Praga.
4	1994	P.W. e S.K. observam guardanapo holográfico.
5	1994	Barros vê medalhão de Fátima; Sanchez vê medalhão de Maria.
6	1994	P.W., H.L. e Barros vêem fichas telefônicas, ouvem barulho estranho vindo do orelhão, comparam notas de cruzeiro.
7	1994	Todo o grupo vê uma forma de coração na parede e sente seu odor; H.L. acha placa de metal.
8	1994	H.L., P.W. e Barros vêem água se solidificar em um cristal; o medalhão da Pax cai sobre P.W.
9	1994	Todo o grupo observa tiras magenta e cristal; R.C. acha anel.
10	1994	Grupo inteiro vê broche de ágata e os anéis unidos.
11	1994	S.K. recebe o broche com violência, vê pedra durante tempestade e encontra pedra em A.M.
12	1994	R.K. se identifica com o medalhão de Maria; S.K. acha o medalhão da pomba e da cruz.

DISCUSSÃO

Esses 12 eventos se qualificam como experiências humanas excepcionais, no sentido do termo de White (1995) (tabela 1). Esses eventos, não só foram aparentemente paranormais, mas cada um deles foi "humanizado", no sentido de que os objetos manifestados de alguma maneira foram identificados pelas pessoas. Enquanto isso, houve vários eventos aparentemente paranormais com os quais ninguém se identificou, e outros nos quais a identificação foi menos dramática. Houve também casos em que membros do nosso grupo fizeram associações para um presumido "receptor legítimo", que não foram aceitas pelo indivíduo. Portanto, os 12 eventos descritos neste relatório são aqueles cujos significados especiais foram atribuídos pela pessoa "legítima", ou, em poucos casos, por um parente próximo daquela pessoa.

A EXPERIÊNCIA HUMANA EXCEPCIONAL

Nossa análise se concentrou no que Jung chamou de "hermenêutica do símbolo", aquela que muitas vezes desmascara um significado múltiplo. Para tanto, os exemplos se focavam nas interpretações que eram feitas pelos próprios indivíduos sobre os objetos que surgiam, aparentemente de maneira anômala, para as pessoas às quais eles foram originalmente "enviados", de acordo, principalmente, com a proximidade das pessoas e dos objetos.

No entanto, Marks e Kammann (1980) descrevem como essas interpretações são feitas aleatoriamente na ausência de alternativas. Por essa razão, sugerimos um teste, que pode ser incorporado em futuros projetos de pesquisa. Cada indivíduo que acredita ser ele o "destinatário" de um objeto anônimo deve identificar o objeto que acredita ser o mais evidente. Cada indivíduo deve também nomear 3 membros da família ou amigos próximos que nada sabem sobre a sessão de pesquisa. Essas pessoas receberiam fotos de todos os objetos selecionados e teriam de avaliar os objetos de acordo com as características que teriam para o seu parente ou amigo (presentes, pertences, lembranças). A característica média seria usada para propósitos estatísticos. Se realmente as interpretações forem apropriadas para o destinatário, a avaliação dada ao objeto pelos parentes e amigos será mais alta do que as avaliações dadas pelos outros indivíduos presentes na sessão de pesquisa. Esse procedimento estatístico foi usado com grande sucesso nos experimentos de telepatia dos sonhos no Maimonides Medical Center (Ullman & Krippner, com Vaughan, 1989).

Uma análise cuidadosa desses 12 exemplos mostra as limitações da nossa teoria. Na maioria dos casos, o destinatário fez a atribuição "depois do fato". No quinto caso, seguindo o surgimento do medalhão de Fátima, Barros disse que sua filha o tinha pedido alguns dias antes, mas nós não perguntamos à filha de Barros para ter certeza da correta representação do tempo neste caso. No nono exemplo, Barros disse que "8" era seu número favorito, mas ela fez essa afirmação depois do aparecimento desse número na nota de cruzeiro. No nono exemplo, R.C. estava convicto de que o cristal que tinha aparecido no seu fax tinha "crescido", mas somente após A.A. ter sugerido que isso aconteceu.

A atribuição de significado aos objetos manifestados pelos "destinatários", na maior parte, foram *post hoc*. Desse modo, é possível que o objeto tenha servido como um instrumento de projeção (como uma marca de Rorschach) ao qual a pessoa poderia conotar sentido. Isso não diminui a utilidade do método hermenêutico usado, mas levanta questões quanto à seqüência do tempo de conexão entre o objeto e o destinatário. Existia uma associação entre o símbolo e o destinatário que o objeto manifestado trouxe à superfície? Ou a associação é atribuída ao objeto uma vez que esse apareça? Pesquisas psicológicas indicam que a atribuição é um resultado freqüente quando a pessoa é confrontada com uma situação complexa ou pouco familiar (Heider, 1958). L'Abate (L'Abate com Bryson, 1994) observou que as atribuições "falam da importância da realidade fenomenológica das percepções individuais", especialmente nos casos em que distorções, ausências e generalizações tendem a ser exageradas, amplificadas ou negadas e suprimidas (p. 253).

Confrontando-se com a atribuição *post hoc* está a emotividade registrada no momento em que o evento tomou forma. Material emotivo há muito foi considerado de valor nas técnicas projetivas, muitas vezes trazendo informação importante e útil que havia passado despercebida pelas técnicas diretas (Allport, 1965, p. 40). Eventos descritos no nosso primeiro exemplo marcaram fenômenos que P.W. considerou evidenciais, assim como aqueles delineados no nosso segundo exemplo. No terceiro exemplo, um membro do grupo do IONS estava convicto de que um objeto era "destinado a mim", enquanto outro membro falou do amor do seu filho por animais e o laço afetivo entre ele e a figura de São Francisco. No quarto exemplo, P.W. falou de um holograma como sendo "o presente perfeito para um cientista", enquanto, no quinto exemplo, Lindalva Barros ficou "extremamente empolgada" com a medalha de Fátima e Sonia Sanchez estava "muito animada" quando encontrou uma correlação entre uma medalha que estava na sua bolsa e outra que apareceu em condições aparentemente anômalas.

Os eventos aparentemente anômalos referentes ao telefonema no sexto exemplo foram marcados pela preocupação de H.L. com a saúde de sua mulher e a preocupação dela com a segurança dele. Essa preocupação por parte de H.L. também marcou a reação dele à figura em forma de coração materializada na parede do sétimo exemplo e os anéis ligados no décimo exemplo. O oitavo exemplo incluía a aparição de um medalhão com a palavra "paz" escrita em latim, um processo de P.W. que duraria a vida toda. Ele era o "destinatário" do objeto e ficou extremamente surpreso quando encontrou uma duplicação alguns dias depois, quando visitava Paris.

O nono exemplo é notado pelo aparecimento de um anel que se ajustava ao dedo da filha de R.C. e cujo *design* correspondia à idade cronológica dela. Nessa ocasião, sua filha havia feito no mesmo dia uma indagação formal sobre A.A. Durante a mesma sessão, a tira magenta e o cristal apareceram, evocando o nome do Grupo Magenta. Caracterizando o décimo exemplo estava uma ágata em forma de lágrima, que apareceu num ornamento em forma de sino; P.W. encontrou símbolos budistas de compaixão em ambos. Os anéis conectados, aparecendo tão rapidamente após a menção a eles feita por S.K, representaram o idealizado santo Graal da pesquisa parapsicológica. O ceticismo de S.K. foi desafiado pelos anéis conectados, e o décimo primeiro exemplo trouxe 3 possíveis respostas à sua atitude. O décimo segundo exemplo apresentou um medalhão que evocava os sentimentos maternos de R.K., assim como um medalhão simbolizando paz e espiritualidade, a base comum do Grupo Magenta.

Esses exemplos têm usado *insights* da hermenêutica junguiana (Jung, 1953, p. 287). Bem freqüentemente, esses significados múltiplos se complementavam, produzindo um mosaico que indicava "experiência humana excepcional" para aquele evento.

A análise hermenêutica e fenomenológica descrita neste ensaio precisa ser contemplada dentro do contexto de outros métodos usados para avaliar as vinte sessões que nosso grupo teve com A.A. Ademais, para uma pesquisa adicional, seria conveniente seguir as diretrizes traçadas por Wiseman & Morris (1995) quando "supostos paranormais" foram investigados. Esses procedimentos eram tanto pragmáticos como flexíveis, abordando tópicos como negociar um procedimento mutuamente aceito, desenvolver uma alegação aceitável, conduzir estudos pioneiros e formais, evitando o desentendimento, resolvendo questões étnicas e relatando os resultados.

UMA OUTRA DIMENSÃO?

Como nós encaramos a alegação de A.A. de que esses objetos representavam uma comunicação com entidades de uma outra dimensão? Se esses agentes presumidos desejavam estabelecer uma comunicação, poder-se-ia especular que tal tentativa deveria envolver a manifestação de objetos, com valor simbólico que teria significado para a pessoa para a qual foi "destinado". Observando os objetos em geral, nós não temos as informações necessárias para sugerir uma "causa e efeito" para nenhum dos fenômenos. Todavia, se os objetos, realmente, foram uma tentativa de comunicação, é evidente que as entidades envolvidas não somente teriam a inteligência necessária para se comunicar como também a tecnologia.

Pela perspectiva de A.A., os iniciadores do Fenômeno Magenta não eram entidades deste planeta, que operavam através de outra dimensão. Portanto, nós postulamos o questionamento: "Por várias razões, entidades de outra dimensão querem se comunicar com os seres humanos?" Com base no sistema de crenças de A.A., nós postulamos que essas entidades estariam "vivas" em algum sentido da palavra, e teriam funções específicas no Cosmos, uma das quais envolveria residentes do planeta Terra. Nosso uso do termo "outra dimensão" sugere a possibilidade dessas entidades "estarem vivas" sem "um corpo", no sentido que o termo é usado quando nos referimos a seres humanos; a melhor suposição que nós conseguimos fazer sobre esses "sistemas energéticos" é a de que eles operam fora das dimensões de tempo e espaço como são conhecidas na Terra. O nosso uso do termo "comunicar" implica que essas entidades hipotéticas, realmente desejam se engajar numa troca de informações com um propósito, verbalmente e não-verbalmente, literalmente e simbolicamente.

O segundo questionamento deriva do primeiro e pode ser exposto da seguinte maneira: "Poderia a comunicação com essas entidades envolver a manifestação de objetos, cujo valor simbólico teria significado especial para a pessoa que os recebe?" Em certas instâncias, um objeto pode ter significados diferentes para mais de uma pessoa, e em outras instâncias, poderia haver manifestações consecutivas, cada qual podendo ampliar o significado do objeto manifestado anteriormente. Sendo assim, o próprio A.A. pode não ter sido informado do significado dos objetos, porém, a sua presença física — como um "sensitivo" — seria necessária para a comunicação desejada acontecer.

Para explorar essas possibilidades, nós não apenas temos os objetos manifestados, mas também transcrições do diálogo transmitido pelos bips do rádio, especialmente durante as sessões 16 e 17 (Krippner, Winkler, Weil, Lal Arora, Kelson, & Crema, no prelo). Durante essas duas sessões uma série de questionamentos vieram à luz quando o rádio foi sintonizado entre duas estações; uma resposta de um bip seria uma resposta afirmativa, enquanto uma resposta de dois bips seria negativa. Se a resposta para os nossos dois questionamentos fosse positiva, várias questões adicionais poderiam ser invocadas, e as tentativas de respostas poderiam ser baseadas nas nossas interpretações hermenêuticas dos objetos manifestados e das respostas do rádio.

1. Seriam essas entidades seres que vivem fora do universo material, em contato mais próximo com uma "Inteligência Superior"? As informações disponíveis nos dariam uma resposta afirmativa para esta pergunta.
2. Teriam elas um corpo físico, como o dos humanos? A resposta poderia ser negativa. Em vez disso, elas alegam que são "energia pura" e "luz", e que poderiam ser chamadas de "anjos".
3. Elas serviriam a uma função psicoterapêutica aos seres humanos? A resposta seria negativa.
4. Essas entidades serviriam a uma função educacional? A resposta seria afirmativa; elas alegavam que queriam ser

instrutivas na ciência, especialmente em relação à demonstração da existência de uma "Inteligência Superior", ou seja, Deus.

5. Seriam essas entidades responsáveis pelos fenômenos de A.A.? A resposta seria afirmativa, mas houve uma ênfase no desejo de compartilhar sua mensagem com a humanidade em geral.

6. Poderiam essas entidades se comunicar, através de A.A., por psicografia? A resposta seria negativa. A sua comunicação é limitada à manifestação de objetos e aos bips de rádio, pelo menos no que se refere a A.A.

7. A.A. teria um grau de controle significativo sobre os fenômenos? A resposta seria negativa. Para que A.A. não fosse acusado de truques, talvez fosse melhor que as tentativas de comunicação permanecessem fora do controle de sua vontade. Mesmo assim, ele, muitas vezes, era capaz de sentir quando uma manifestação ia ocorrer.

8. É necessário um estado emocional específico para que apareçam os objetos? A resposta seria afirmativa. O envolvimento emocional dos participantes poderia ser diretamente responsável pela manifestação dos objetos, especialmente aqueles que se assemelhassem a algum aspecto da vida dos indivíduos aos quais os objetos pareciam "destinados". Certa vez, A.A. comentou que os fenômenos acontecem mais freqüentemente em uma "atmosfera de amor", e nós já havíamos relatado que os fenômenos provavelmente ocorreriam em momentos de maior atividade geomagnética (Krippner, Winkler, Amiden, Crema, Kelson, Lal Arora, & Weil, 1996); se essa "atmosfera de amor" pudesse ser quantificada, essas duas variáveis poderiam ter maior valor de predição do que qualquer variável sozinha.

Em resumo, na perspectiva de A.A. e das suas suposições sobre os fenômenos, existem entidades ("agentes", na nossa terminologia) que estariam em contato mais próximo a uma "Inteligência Superior" cósmica do que os humanos. Essas entidades têm usado a sensibilidade de A.A. para demonstrar a sua existência (para o nosso grupo e para a humanidade em geral) e o fazem de uma maneira compatível com a investigação científica, isto é, pela manifestação de objetos, que geralmente trazem significados simbólicos para membros do nosso grupo, ou pela comunicação através do rádio.

A decisão do grupo Magenta de publicar um relatório do seu trabalho com A.A. foi tomada com base no nosso protocolo científico. Estas foram, sem dúvida, experiências humanas excepcionais e, como tais, merecem ser compartilhadas. Felizmente, essa decisão está de acordo com a orientação dada pelas entidades. Infelizmente, A.A. não estava disponível para pesquisas subseqüentes, uma circunstância que — pelo menos para alguns de nós — dificultou os objetivos das entidades e do grupo Magenta.

POSFÁCIO

Durante o nosso contato com A.A., um total de quatro cristais apareceu em circunstâncias aparentemente paranormais. Cada um desses cristais recebeu atenção especial.

PRIMEIRO CRISTAL: logo após P.W. ter encontrado A.A., em 1992, um cristal apareceu sobre a mesa do escritório de P.W. sob condições aparentemente paranormais. Em maio de 1996, o laboratório de raio X da Universidade Federal do Rio de Janeiro examinou esse cristal. Ele foi quebrado em dois fragmentos com um martelo, após ser examinado através de uma lente binocular. Uma porção foi emoldurada sobre epóxi, enquanto a outra foi pulverizada (ao "grau de ágata") e depois estudada pelo raio X. De acordo com o laudo do laboratório, o difractograma do cristal demonstrou que era um mineral transparente lapidado, que pertence ao sistema cúbico, com uma composição estimada de zirconato (um sal produzido pela reação de hidróxido de zircônio), provavelmente composto por alumínio. Através do microscópio óptico concluiu-se que esse cristal não possuía "inclusões". Nenhuma referência sobre pedras preciosas com uma composição parecida foi encontrada nos arquivos bibliográficos do laboratório. Era impossível determinar sua idade, embora a afirmação não tenha sido feita no relatório escrito, P.W. afirmou que um funcionário do laboratório comentou que fabricar o cristal seria muito mais caro do que comprar um diamante do mesmo tamanho. Foi em referência a esse cristal que A.A. comentou: "Não é o valor do diamante que é importante; o significado do evento é a transparência do nosso mundo, a transparência da nossa consciência."

SEGUNDO CRISTAL: durante a oitava sessão, em 14 de março de 1994, no escritório de P.W., às 18h21, um pequeno pedaço de papel alumínio pareceu mudar de formato, transformando-se em um cone de cristal. Esse cristal foi dado a S.K, que prometeu que o levaria para ser analisado nos Estados Unidos. Ele embrulhou o cristal em um lenço de papel, colocou-o dentro de uma garrafa e o escondeu em seu quarto, em local que só ele e M.W. sabiam. Mais tarde, naquele mesmo dia, perguntou a M.W. se ele poderia mostrar o cristal a L.B. e S.S. M.W. localizou a garrafa, mas estava vazia — tanto o lenço quanto o cristal haviam desaparecido.

TERCEIRO CRISTAL: durante a nona sessão, que se deu no restaurante da Universidade, em 14 de março de 1994, às 20h35, uma gota d'água apareceu sobre a mesa e se solidificou em um cristal. Esse cristal foi levado a um laboratório em São Paulo por P.W. e identificado como sendo um diamante. Em julho de 1996, o mesmo cristal foi novamente identificado como sendo um diamante pelo laboratório de raio X da UFRJ.

QUARTO CRISTAL: durante a décima primeira sessão, no escritório de P.W., em 15 de março de 1994, às 15h29, um cristal apareceu no mesmo fax que apresentava a faixa magenta brilhante, que, mais tarde, deu nome ao grupo Magenta. Alguns dias depois, esse cristal foi levado por R.C. a um joalheiro de Brasília, que o identificou como sendo um diamante.

ANÁLISES ADICIONAIS: uma das pedras coloridas e polidas que apareceram em 1994, quando P.W. e A.A. estavam juntos, foi levada ao laboratório de raio X da UFRJ. Após uma observação preliminar, foi quebrada em dois fragmentos com um martelo. Um fragmento foi emoldurado em epóxi, enquanto o outro foi pulverizado e, em seguida analisado por raio X difractométrico e petrográfico. A pedra foi identificada como sendo composta de plagioclase, biotite, anfiboho, carbonato, apatite e minerais opacos. O relatório ressaltou que os minerais plagioclase, biotite e apatite poderiam ter sua idade identificada se aparecessem em maior quantidade.

Em julho de 1994, H.L. obteve um relatório sobre os anéis unidos, de três metalúrgicos. Eles ressaltaram que os anéis eram feitos de prata comercial, ou seja, 95% prata e 5% cobre, e tinham um número gravado, que era 92,5, o que aparentemente confirma este julgamento em relação à quantidade de prata na liga. Os anéis continham um total de 50 pedras semipreciosas, 24 em um anel e 26 no outro; duas pedras sumiram do primeiro anel. O peso total dos anéis era de 4 gramas e eles foram avaliados em 50 dólares. Nenhuma marca foi encontrada quando os anéis foram examinados, mas uma determinação conclusiva não poderia ser feita sem análises metalúrgicas mais aprofundadas. No entanto, é notável que os anéis apareceram tão logo S.K. tivesse feito um comentário especificamente sobre anéis ligados sem marcas, como um exemplo de "objeto paranormal permanente".

CAPÍTULO 4

Correlações fisiológicas e geomagnéticas

Stanley Krippner, Michael Winkler

Este capítulo deveria incluir os resultados de cálculos estatísticos efetuados em função das vinte sessões em Brasília, já publicados nos Estados Unidos.

Como o seu conteúdo é demasiadamente técnico para ser incluído neste livro, damos aqui um resumo das suas conclusões.

Como já o mostramos, os fenômenos foram avaliados numa escala de cinco pontos por três membros da equipe de pesquisa. Foram feitas leituras do pulso, da pressão sangüínea, do pH salivar assim como das flutuações geomagnéticas na área de Brasília onde tiveram lugar as sessões.

Quando foram colocados em relação às médias da avaliação por eventos e das leituras fisiológicas e geomagnéticas, ficou evidente que os fenômenos eram precedidos por uma elevação da pressão sangüínea e por uma atividade geomagnética elevada. O mesmo se deu com o índice geomagnético diário do hemisfério Sul.

Uma pesquisa instrumental mais precisa seria necessária,o que infelizmente não pôde ser feito em virtude do estado de saúde de Amyr Amiden.

PARTE II

Relatos
Pessoais

CAPÍTULO 5

Os meus encontros
com Amyr Amiden

Harbans Lal Arora

ANTECEDENTES

Meu interesse em compreender os milagrosos fenômenos paranormais e metafísicos vem de longa data, quando era um estudante de Física na Índia. Os fenômenos, tais como os do Sri Satya Sai Baba, e experimentos laboratoriais controlados feitos com Swami Rama, destacando controle mental dos processos fisiológicos, despertaram grande interesse em muitos cientistas.

Em 1991, eu estava participando do III Congresso Holístico Nacional, em Canela-RS, quando encontrei um amigo meu, Ken O'Donnell, um químico australiano, que nas últimas duas décadas esteve ligado com a organização BRAHMA KUMARIS. Ele relatou suas experiências com o Amyr em Brasília. Amyr havia materializado um colar para ele. A minha surpresa e curiosidade cresceram ainda mais quando Ken contou que Amyr ha-

via dito para ele para guardá-lo bem, para sua própria segurança. O relato de Ken foi emocionante quando ele contou que a
posição adequada do colar no seu bolso foi responsável por sal-
var sua vida durante um acidente de ônibus, no qual ele estava
viajando. Claramente essas experiências do Ken são características de materialização, precognição, transcendência do espaço-
tempo físico.

Nesse momento, surgiu o meu amigo Pierre Weil, Reitor
da UNIPAZ, Brasil, que era presidente do Congresso. Ele vem
mantendo contatos com Amyr há alguns anos e conhece bem
suas capacidades paranormais. Pierre me perguntou se eu poderia ir a Brasília e conversar com Amyr. Concordei e imediatamente mudei meu roteiro de passagem visando ficar dois dias
em Brasília.

PRIMEIRO ENCONTRO

Cheguei em Brasília à noite e no outro dia pela manhã te-
lefonei para Amyr. Expressei minha vontade de conversar com
ele, motivado pela experiência do Ken e pela recomendação do
Pierre para fazer contatos com Amyr como cientista. Formulei o
desejo de ajudá-lo com técnicas de respiração e outras, visando
manter a boa saúde e o bem-estar dele. Ele concordou expressa-
mente em vir para a cidade da Paz às 11 horas.

Antes da chegada dele, encontrei um amigo meu, o Dr. Flávio Dantas, um médico homeopata que estava visitando a cidade da Paz. Sabendo do objetivo da minha missão, ele pediu para
estar presente durante a minha conversa com Amyr. Concordei
imediatamente.

Quando Amyr chegou, fui apresentado a ele. Eu me senti
na presença de uma pessoa muito simples, sem quaisquer pre-
tensões ou orgulho. Senti também que ele era uma pessoa um

pouco agitada, mas bem-intencionada. Expliquei para ele o objetivo da nossa missão: fazer um estudo científico, com a participação dele, dos fenômenos paranormais e metafísicos, visando levar o conhecimento desses fenômenos ao reconhecimento científico.

Nesse momento, desceu do primeiro andar para a sala de recepção, o Dr. Flávio Dantas. Estava chovendo levemente. Eu o apresentei ao Amyr. Flávio e eu começamos a inalar o cheiro de rosas na água da chuva. Nós entramos numa sala vizinha. Um copo d'água que estava em cima da mesa caiu e quebrou, espalhando a água no chão, emitindo um cheiro peculiar de rosas. Em poucos segundos começaram a cair pedras semipreciosas e comuns que Flávio e eu coletamos. Notamos que o ritmo da respiração do Amyr estava bastante alto. Voltamos para a sala de recepção, sentamos no sofá e começamos a conversar sobre assuntos familiares. Ele começou a se referir a mim como "irmão", e eu respondia no mesmo tom. Eu falo urdu, língua oficial do Paquistão, que é derivada de hindi, farsi e árabe. Com algumas palavras de urdu, ficou mais fácil a comunicação amigável e fraterna entre nós. Em geral, nos comunicamos em português.

De repente, caiu alguma coisa metálica a uma distância de quase três metros do sofá onde estávamos sentados. Ele disse: "Parece que é alguma coisa para você." Era uma pulseira embrulhada e tipicamente indiana. Amyr disse que era um presente para minha esposa. Tratava-se de uma pulseira de 18 quilates. Minha esposa mandou fazer três anéis — um para ela, outro para mim e o terceiro para nossa filha mais velha.

Amyr falou sobre vários assuntos — que ele levou um medalhão de ouro com o rosto de Cristo para a atriz Shirley MacLaine; a ajuda que ele dá para pacientes; sua presença em dois lugares simultaneamente; sua preocupação com a educação do filho; a levitação que ele experimenta espontaneamente. Mostrei meu interesse profundo em lhe ensinar algumas técnicas simples de relaxamento e respiração e na sua parceria para a elaboração e execução de um programa de pesquisa sobre fenômenos paranormais e metafísicos. Ele demonstrou interesse e concordou com essas idéias. Fiquei muito feliz, uma vez que criamos um elo entre nós de fraternidade e apreciação mútua.

SEGUNDO ENCONTRO

Meu segundo encontro com Amyr ocorreu no dia 11.03.1994 no aeroporto Internacional de Brasília. O grupo Magenta havia planejado fazer uma pesquisa intensa juntamente com ele, na cidade da Paz. Devido ao meu compromisso de ministrar um curso em Goiânia, cheguei em Brasília às 20h40, dois dias depois do início das atividades da pesquisa. Lindalva, Pierre e Amyr foram me receber no aeroporto. O Amyr que eu encontrei lá me pareceu bem diferente daquele com quem eu havia conversado em Brasília durante meu primeiro encontro com ele. Eu até mencionei que ele havia mudado muito. Ele meramente sorriu sem fazer nenhum comentário. Eu fiquei surpreso e perplexo.

No caminho para o estacionamento, falei que queria dar um telefonema para minha esposa, quando Amyr disse que algo havia "se materializado" perto do outro lado da rua onde o carro do Pierre estava estacionado. Eu caminhei na direção da área que Amyr havia apontado, e encontrei uma ficha telefônica para chamadas locais. Eu disse a Amyr que não podia utilizá-la porque a ficha não funcionaria para ligações interurbanas. Nesse momento, Amyr sentiu uma coceira na palma da mão que indicava que algo mais estava sendo "materializado". Dessa vez ele me direcionou para o outro lado da rua, onde encontrei uma ficha telefônica interurbana.

A caminho do telefone público, para fazer a ligação para minha casa em Fortaleza, por volta de 21h20, eu e o restante do grupo ouvimos um barulho estranho perto do telefone público. O aparelho telefônico levantou e caiu três vezes seguidas. Amyr comentou que a minha esposa estava tentando ligar para mim. Fui usar outro telefone público e verifiquei que alguns minutos atrás minha esposa estivera tentando telefonar para a Fundação para falar comigo.

TERCEIRO ENCONTRO

Nos nossos encontros prolongados, durante a minha estada na UNIPAZ-BR, vários fenômenos extraordinários ocorreram na presença do grupo Magenta. Eles estão relatados pelos outros membros do Magenta. Entretanto, duas experiências foram muito valiosas para mim e gostaria de descrevê-las.

Amyr pegou um pedaço de papel de alumínio, começou a brincar com ele, compactando-o. Em menos de um minuto, apareceu um cristal pequeno no lugar do papel original de alumínio, que foi colocado posteriormente na mesa. O cristal começou a crescer de maneira notável, aumentando seu tamanho e brilho, até que finalmente pareceu se transformar em um diamante bem polido.

Este é um exemplo de transmutação de matéria, um sonho perseguido pelos alquimistas: o crescimento de um diamante em condições ambientais normais. Isso é praticamente, impossível, uma vez que se sabe que as condições físico-químicas necessárias para esse tipo de processamento são drásticas após a germinação. Foi confirmada a autenticidade do diamante no laboratório metalúrgico da Universidade de Brasília.

Eu perguntei a Amyr se as vibrações geradas pelo diamante poderiam ser utilizadas para o tratamento do câncer, sugerindo que poderia ter os mesmos efeitos da terapia de radiação, mas sem os efeitos colaterais. Amyr respondeu afirmativamente.

Contei para o Amyr a história de fortes dores de cabeça da

minha esposa nos últimos quase trinta anos. A dor havia sido reduzida bastante na sua duração, intensidade e freqüência, devido à prática de diversas técnicas de yoga, mas ainda persistia. Nesse momento, caiu um par de anéis ligados (como se fossem argolas). Amyr comentou que aquele presente era uma demonstração da minha interligação divina com a minha esposa. Os anéis são feitos de uma liga comercial com 95% de prata e 5% de cobre. Segundo avaliação feita pela Caixa Econômica de Fortaleza, um dos anéis tem 26 pedras semipreciosas (marcassitas) e o outro anel, 24 pedras. O peso total do conjunto é de 4 gramas e foi avaliado em U$ 50. Esse pode ser considerado um objeto paranormal permanente.

CAPÍTULO 6

As minhas impressões pessoais sobre os eventos do Projeto Magenta

Pierre Weil

Como mostrei na introdução deste livro, eu já conhecia Amyr há muitos anos, quando o apresentei a Stanley Krippner, e já tinha presenciado muitos fenômenos, cada um mais extraordinário do que o outro. Eu conto essa história no meu livro, que será uma continuação da *Revolução Silenciosa, A Lágrima da Compaixão*, num capítulo especial consagrado a ele. Fiz questão de narrar esse fato pois ele teve grande influência em reforçar uma série de convicções que adquiri ao longo da minha existência, sem contar o afeto que acabou nos ligando.

Neste capítulo, vou descrever espontaneamente, conforme as minhas próprias lembranças, como senti tudo o que se passou durante o Projeto Magenta.

A impressão, que sempre tive e que continuo tendo, é a de que Amyr é o veículo de uma fenomenologia que o ultrapassa de muito. Muitas pessoas pensam que ele é que produz os fenômenos, e isto gera muitos mal-entendidos e confusões, pois as

pessoas leigas começam a querer saber como é que ele conse-
gue esses resultados ou, o que é pior, começam a pressioná-lo
para que produza fenômenos, pela sua própria vontade. Eles não
compreendem que existe uma força que está por trás do fenômeno e que, pelo que tudo indica, decide da conveniência ou
não de atender ao pedido.

Amyr, na realidade, na maioria das vezes, não tem ação vo-
luntária sobre os fenômenos. Ele sente mudanças na sua saliva
quando algo vai acontecer, mas ele não sabe o que vai haver, e
quando as coisas acontecem, ele tem intuições que indicam onde está se dando o evento. Às vezes o evento se dá no cômodo
ao lado do local em que ele se encontra. Às vezes, perfumes en-
chem o ambiente cinco a dez minutos antes de ele chegar ao local, ou certos fenômenos acontecem ou continuam se produzindo depois da sua saída, durante a noite por exemplo.

Grande parte dos fenômenos aconteceram debaixo dos nossos olhos, sendo que Amyr estava sentado em outro lugar, longe
do lugar onde as coisas aconteciam.

O evento que mais me impressionou foi o da formação de
um diamante, na hora da refeição. Estávamos almoçando, sentados em torno de uma mesa no restaurante da Universidade
Holística, quando Amyr me mostrou uma gota de água que estava se formando bem na minha frente e debaixo dos meus
olhos. Entre nós havia outra pessoa sentada.

Olhei para a gota de água, junto com todos os companheiros de pesquisa que estavam presentes. Todos nós vimos se formar dentro da água um pequeno cristal; ao retirá-lo, ele estava
ainda fosco e adquiriu o seu brilho algum tempo depois; segundo Roberto Crema, que ficou com ele e o levou para casa, o cristal continuou ainda a crescer alguns milímetros.

Depois pedi uma análise do cristal no Instituto de Física
da Universidade Federal do Rio de Janeiro, que o diagnosticou
como sendo um autêntico diamante, excepcionalmente puro
(ver relatório neste livro). A cada evento deste teor, fico mara-

vilhado com a beleza e a perfeição dessa força que dirige todo o processo.

Foi o caso também quando se materializou uma medalha que a mim era destinada, em que estava escrita a palavra Paz. Além da surpresa do processo de materialização, senti-me imensamente tocado, pois era uma espécie de reconhecimento de outra dimensão, da minha vocação para a Paz. Com isto aumentou ainda mais a minha convicção de que todas essas materializações têm um sentido que vai além do aspecto extraordinário do próprio processo. Elas têm significado para cada pessoa a quem se destina o objeto. É como se esta força dissesse para cada um dos destinatários da mensagem: "Olha! Eu estou aqui; eu entendo você; você tem aqui uma prova de que existo!"

O que me assombrou foi quando, ao passear com Amyr, começaram a sair do asfalto na via principal da UNIPAZ, pequenos jatos, uns dez talvez, de óleo perfumado. Pareciam pequenos campos de petróleo. O fenômeno durou uns vinte minutos. Lembro-me que fiquei tão entusiasmado, que chamei o nosso motorista para presenciar o evento. E mais uma vez, eu tive a oportunidade de constatar que Amyr estava tão surpreso quanto eu, pois isto se passou completamente independente de sua vontade, na mesma distância do fenômeno que eu!

Muitas vezes, além de surpreso, Amyr entra numa profunda contemplação e declara o quanto é maravilhoso o reino de Deus. Nessas ocasiões, ele manifesta a sua profunda fé em Deus. E nesses momentos, eu sinto uma comunhão de sentimentos com ele e uma certeza de que essa força que se manifesta é de ordem divina, e um sinal da sua existência.

CAPÍTULO 7

Relatos de assombros

Roberto Crema

Foi muito especial o meu primeiro encontro com Amyr Amiden. Era setembro de 1992 e estávamos na véspera de encerrar, magistralmente, o Grupo Piloto da Formação Holística de Base da UNIPAZ, com o seminário de Jean-Yves Leloup sobre os Terapeutas de Alexandria. Como coordenador desse evento, fui chamado ao gabinete de nosso reitor, Pierre Weil, com a maior urgência. Lá chegando, Pierre advertiu-me: "Roberto, é melhor você escutar esta notícia sentado!" Após essa oportuna medida de cautela, veio a bomba: Jean-Yves estava detido no aeroporto de Paris, sem poder embarcar para o nosso país. O motivo: ele tinha esquecido de tirar o visto de entrada no Brasil que, na França, não leva menos de uma semana para ser obtido!...

"Temos que pensar numa alternativa para este seminário", disse-me Pierre, pesarosamente. Um desesperador impulso combativo invadiu-me ao responder-lhe: "De maneira alguma! Jean-Yves terá que vir, custe o que custar!" Nesse momento pensava no sonho acalentado há três anos, desde o início desse projeto pioneiro e arrojado de formação. Concebido na França por Monique-Thoenig, Pierre Weil e Jean-Yves Leloup, adequado e colocado em prática no Brasil por uma equipe interdisciplinar de diversos Estados, encontrava-se em risco o nosso propósito de encerrar o vitorioso itinerário com Jean-Yves, o único dos idealizadores da formação que ainda não tinha estado com o Grupo Piloto. Pensava, também, em cerca de cento e quarenta pessoas, das mais diversas regiões, que já se encontravam em Brasília, muitas hospedadas na UNIPAZ, aguardando pelo decantado evento. Foi nesse clima de intensa apreensão que entrei no meu carro e iniciei o trajeto de volta, pensando na agenda que teria que fazer com a embaixada da França e outros expedientes imediatos, na luta para superar esse crucial impasse.

Mal havia transposto o portão da UNIPAZ, quando a amiga, Maria Stella Pacheco, que dirigia o seu carro no sentido oposto, pediu que eu parasse por um momento. Ela estava acompanhada por um homem de aspecto carismático, que sorriu para mim. "Quero apresentar-lhe Amyr Amiden", disse-me a amiga. Nós já nos conhecíamos, indiretamente, por amigos comuns. Quando nos saudávamos, com um abraço fraterno, eu ouvi o tilintar de metal sobre o capô de meu carro ao mesmo tempo em que quatro cristais, de diversas cores, caíram ao nosso lado, do vazio, no asfalto rústico onde estávamos. Tocado por este encontro marcado com alvissareiros sinais, apanhei o objeto que caíra sobre o meu carro: era uma medalha de cor prata, tendo numa face a imagem de um monge e, na outra, uma cruz estilizada. Um imenso alívio acariciou meu coração nesse momento e a minha mente apaziguou-se, com o claro sentido imediatamente desvelado nessa sincronicidade: o sacerdote e terapeuta Jean-Yves viria e honraria o seu compromisso conosco, com certeza! Assim, despedi-me desse meu primeiro contato com o amigo Amyr, sentindo-me grato, feliz e confiante.

No dia seguinte, recebíamos Jean-Yves no aeroporto de Brasília. Tão logo chegamos na UNIPAZ, para tratar dos detalhes do evento que se iniciaria à noite, apresentei-lhe a medalha, indagando se ele conhecia o seu significado. "Essa imagem é a de um Padre do deserto — São Bento —, e essa cruz é o símbolo crístico do exorcismo. Essa medalha resume o tema de meu seminário!", afirmou, categoricamente, Jean-Yves. Pierre e eu sorrimos, com mais este milagre de nosso cotidiano holístico.

A partir de então, Amyr Amiden passou a ser um especial companheiro em nosso canteiro de obras holístico, onde buscamos assentar os fundamentos de um novo paradigma, a partir de uma visão inclusiva, transcultural e transdisciplinar, que possa melhor nos orientar na complexidade do real. Faz parte da sua missão perfumar os nossos espaços, fazer chuviscar exóticas pedras e cristais, criar impossibilidades significativas e fazer jorrar, da matriz do vazio fértil, rosas, mandalas, jóias e diamantes. No justo combate contra a estreiteza de um certo fundamentalismo racionalista-positivista, Amyr é uma trombeta valiosa cuja melodia faz desabar pesados muros cartesianos, abrindo mentes e alargando inteligências para o saudável encontro com o desconhecido, o translógico, o além-da-normose, ou seja, a patologia da normalidade.*

Fui testemunha — bem como muitos outros participantes do corpo de colaboradores da UNIPAZ — de uma vasta fenomenologia excepcional transcorrida em muitos encontros com Amyr Amiden. Um dos mais tocantes, entretanto, foi a materialização de um especial anel. Eis a história:

Estava participando da semana de pesquisa do Projeto Magenta, coordenada por Stanley Krippner e que é objeto do presente livro. Era 15 de março de 1994. Após o intervalo do almoço, iria levar a minha filha Isabela, nesta ocasião com 10 anos de ida-

---

* Weil, Pierre; Leloup, Jean-Yves; Crema, Roberto: *Normose, a patologia da normalidade* (no prelo, Vozes).

de, para a escola, antes de retornar para outra jornada de pesquisa. Quando entrou no meu carro, Isabela sentiu o típico perfume que geralmente a presença de Amyr faz exalar em tudo à sua volta — neste caso, até no interior de meu carro. Já conhecendo, por conversas anteriores, Amyr e seus feitos extraordinários, Isabela indagou se aquele perfume não seria o dele. Com a minha resposta afirmativa, minha filha, que sempre se interessou por assuntos de parapsicologia e outros mistérios, confidenciou-me: "Como eu gostaria que o Amyr materializasse um anel para eu colocar aqui!", apontando para o dedo anular da sua mão direita.

Depois de deixar Isabela na sua escola, segui para a Granja do Ipê, sede da UNIPAZ, onde Amyr e os meus companheiros na pesquisa já se encontravam. Ao chegar à sala da Reitoria, onde passaríamos aquela tarde, pensei: "Que bom seria se o desejo de Isabela se realizasse! Mas não direi nada a ninguém sobre isso e o anel deverá registrar a sua idade, de algum modo." Menos de dois minutos transcorreram, quando ouvimos o tilintar de um objeto caindo e rolando no chão. Então disse: "Se for um anel infantil e se tiver referência ao número dez, então é da minha filha Isabela!" Para o meu feliz espanto, era um anel infantil, com cinco pedras tendo, ao lado de cada uma delas, dois pinos de metal. 5x2 = 10!

Quando à noite, após minhas atividades no consultório de psicoterapia, retornei à minha casa, fui ao quarto da Isabela e, brincando alegremente, mostrei-lhe as duas mãos fechadas, pedindo que ela escolhesse uma. Ao dar-lhe o anel relatando-lhe a sua história, com os olhos brilhantes e o mais largo sorriso ela o colocou no dedo anular, exclamando: "É do tamanho exato para este dedo!"...

Talvez o aspecto mais interessante desta experiência é o fato de ter sido evidenciada, por via telepática, a captação de um desejo, que se realizou plenamente.

Nessa ocasião, destaco outro momento de nossa pesquisa, quando todos estávamos sentados em torno da mesa redonda da

Reitoria. Repentinamente, Amyr nos disse que algo estava para acontecer perto de mim; os seus ritmos biológicos estavam alterados, o que sempre acompanha seus feitos. Nesse momento eu estava olhando para uma gota d'água que tinha transbordado de um copo, na nossa frente. Todos constatamos, então, quando essa gota d'água transformara-se em uma pequena pedra reluzente, mais tarde identificada em laboratório como um legítimo diamante. Depois de transcorrida a semana de nossa pesquisa, guardei-o, zelosamente, num recipiente de plástico, dentro de um armário trancado no meu escritório. Alguns dias depois, encontrei-me com o Amyr que, antes de despedir-se, disse-me com um sorriso: "O diamante está crescendo!... Pode conferir". Admirado, constatei que isso tinha acontecido de forma bastante óbvia: o que fora uma minúscula pedra tinha, praticamente, dobrado de tamanho e hoje faz parte da coleção de objetos derivados dessa pesquisa.

Um outro fato, peculiarmente esclarecedor, merece ser registrado. Ocorreu durante um seminário que eu orientava para a Formação Holística de Base, na UNIPAZ de Brasília. Estava focalizando a cartografia do ser humano, segundo Jean-Yves Leloup, que abrange as dimensões da nossa realidade, desde a superficial persona, passando pelo inconsciente pessoal, familiar, parasita, coletivo, cósmico, angelical até o *Self* essencial (vide *Saúde* e *Plenitude*, no capítulo intitulado "Uma Antropologia da Vastidão", Crema, R., Summus, 1995). Ao referir-me à inconsciente parasita, uma freqüência psíquica que capta e pode ser canal de expressão de aspectos provenientes do campo energético informacional envolvente, fiz referência à nossa pesquisa com Amyr, sem citar o seu nome ou identificá-lo, relatando alguns testemunhos da ampla casuística, tratada nesse livro. No intervalo, uma senhora que demonstrava ser dotada de grande sensibilidade, aproximou-se e indagou-me: "O amigo especial, sobre o qual você falava, é árabe?" Perplexo, respondi: "Sim; você o conhece?" Foi muito significativa a sua resposta: "Não, mas ele apareceu e ficou ouvindo-o durante todo o tempo no qual você falava a seu respeito!..."

Sinto-me bastante honrado por ter conhecido e, durante algum tempo, caminhado ao lado e privado da intimidade desse amigo e grande ser humano, Amyr Amiden. Bem sei quão árdua tem sido a sua missão, nesse tempo-espaço de passagem paradigmática, onde ainda prevalece o que denominamos de normose, com os seus típicos sintomas de alienação e estreiteza de visão, acomodação aos velhos, ultrapassados e insuficientes códigos cientificistas e atitude intolerante e freqüentemente repressora frente ao que se desconhece do fabuloso potencial de nossa espécie. A sua existência e obra muito tem contribuído para este movimento de renovação e ampliação de nossos horizontes conscienciais.

Em nossa Universidade Holística, Amyr Amiden sempre terá uma cadeira cativa. Assim, poderemos prosseguir, em criativa sinergia e amizade evolutiva, rumo ao Novo Milênio que já desponta, convocando-nos à incessante marcha para reinventar a humanidade e seu estar e ser-no-mundo.

Diante dos cenários atuais e do processo de globalização crescente, caracterizado pela desumanidade da exclusão, injustiça social e depredação ambiental, torna-se imprescindível a consideração e o investimento no fator humano. Quando acordaremos para a premente necessidade de globalização do universo da subjetividade e da consciência de inteireza? Quando aprenderemos que a alma é o melhor investimento? Quando nos atreveremos a explorar o cosmos interior, como fizemos com o exterior, facilitando que seja atualizado o potencial de plenitude inerente à nossa espécie? O projeto humano precisa ser levado a cabo no século XXI. Caso não seja, haverá século XXI para o ser humano? São perguntas justas diante dos rumores e tremores do Instante. São, também, contas que temos que prestar às gerações do porvir.

CAPÍTULO 8

Um sonho desfeito

Stanley Krippner

É impossível, para mim, escrever sobre nosso trabalho com Amyr Amiden sem sentir-me triste. Eu tinha consciência de que Amiden entrou em nosso projeto de pesquisa com confiança, segurança e esperança. Durante nossas 20 sessões com ele, observamos e cadastramos a aparição repentina de jóias e pedras preciosas, a ocorrência de sons estranhos, a aparição de marcas nas mãos e na face de Amiden e acontecimentos estranhos em salas distantes.

Esses eventos me inspiraram um senso de deslumbramento. Eles eram evidências de um leque completo de capacidades humanas, incluindo as que são negligenciadas pela ciência ocidental.

Eu estava consciente da sensibilidade emocional e física de Amiden durante a investigação. Amiden foi realmente um "sensitivo" em muitos aspectos. Como resultado do ridículo e do ceticismo que sofreu durante a sua vida, Amiden estava sensível a qualquer atitude ou observação de qualquer um dos membros de nossa equipe que poderia ser interpretado como contestação à sua integridade. De outro lado, a sua saúde foi uma preocupação constante nossa e aplaudimos o estreito contato de Amiden com o seu médico.

Depois que as nossas sessões terminaram, eu planejei uma série de observações controladas de acompanhamento, as quais deveriam se realizar em dezembro de 1995. Eu despendi um considerável tempo e energia para obter a cooperação de especialistas e a consecução de um equipamento que poderia reforçar a veracidade deste projeto.

No entanto esse estudo formal não pôde se realizar. O cancelamento do estudo de 1995 foi um dos grandes desapontamentos profissionais da minha vida. No entanto, era compreensível dado o aviso do seu médico de que uma repetição da experiência de 1994 poderia provocar um tal *stress* no seu coração que poderia colocar em perigo a sua saúde. Ele avisou Amiden de que uma repetição desses esforços poderia ser fatal.

Eu gostaria de concluir minhas observações com um tom mais otimista. Atualmente, há uma dúzia de brasileiros que são membros ou membros associados da Associação de Parapsicologia, uma organização internacional de profissionais da área de pesquisa "psi" (parapsicológica). Como resultado, o Brasil não precisa importar especialistas porque há brasileiros capazes de apresentar e implementar pesquisas com indivíduos cujos talentos se assemelham aos de Amiden.

Durante esse período, o nosso trabalho com Amiden demonstrou os limites extremos da natureza humana, as capacidades desprezadas do potencial humano, a possível existência de outros mundos, os quais coexistem com a realidade rotineira, e a capacidade de certas pessoas de servir de ponte entre dois mundos, pessoas que muitas vezes trazem mensagens de esperança para um mundo muito necessitado de uma infusão de inspiração.

Amyr Amiden foi uma dessas pessoas. Eu só posso lhe desejar boa sorte e que seus dons continuem a se manifestar de uma maneira menos dramática, que não coloque em risco a sua saúde e o seu bem-estar físico e emocional.

CAPÍTULO 9

Como Amyr Amiden salvou a minha vida

Ken O'Donnell

No ano de 1994 estive prestando serviço na Unipaz, no departamento de Desenvolvimento Organizacional Holístico (D.O.H), quando tive a oportunidade de conhecer Amyr Amiden. A pessoa que estava trabalhando comigo no D.O.H, Maria Stella Pacheco, tinha sido a assistente do Amyr. Entre uma tarefa e outra, ela começou a contar-me os seus prodígios. Ela falava tantas coisas fantásticas sobre os poderes do Amyr que reagi com um pouco de incredulidade, apesar de ter estudado o assunto: "Ninguém pode fazer isto." Eu tenho uma longa ligação com a Índia e sei sobre os poderes ocultos dos mestres hindus. Já estive por lá mais de 25 vezes e tinha lido, inclusive, uma obra de Patanjali, na qual ele fala das possibilidades de materializar objetos, estar em dois lugares ao mesmo tempo, telepatia, passar através de objetos e assim por diante. O assunto não me era estranho. Já tinha encontrado pessoas que mostravam alguns poderes, mas nada comparado com o que Maria Stella contava sobre o Amyr.

Finalmente, concordei em encontrá-lo e marcamos uma hora para conversarmos na Unipaz. Numa tarde ensolarada, estava no gabinete do reitor, Pierre Weil, e com o presidente de uma empresa estatal da Bahia. Este estava nos falando sobre uma visita recente que tinha feito a Fátima, em Portugal, com suas duas filhas, quando vimos, pela janela, uma grande confusão no estacionamento. Eu deixei Pierre falando com o empresário e retirei-me para ver o que estava acontecendo.

Chegando ao estacionamento, presenciei uma cena quase surrealista. Havia dez ou mais pessoas engatinhando no chão, entre os carros. No mesmo instante em que vi Maria Stella acompanhada de um homem, com aparência forte, percebi que as pessoas estavam catando pedras do chão. Uma das recepcionistas, que tinha saído do seu posto de trabalho por curiosidade, me mostrou uma meia dúzia de pedras semipreciosas, todas pequenas e sem defeitos, que ela tinha apanhado do chão: "Elas estão caindo do ar!", ela exclamou. Agora, eu também ouvi os barulhos das pedras caindo, do nada, em cima dos carros. Esta foi a minha apresentação a Amyr.

Maria Stella apresentou-me e ele levantou sua mão. Uma substância, com cheiro de rosas, estava pingando da palma de sua mão. Lembrei-me que Maria Stella tinha dito que as pedras e o cheiro de rosas eram características de Amyr.

Entramos na sede da UNIPAZ, e ele começou a passar mal por causa de uma angina. Sentou-se ao pé da escada e colocou seu remédio debaixo da língua, para recuperar-se. Enquanto ele brincava com o pedaço de alumínio do remédio, começamos a conversar. Sabendo que ele fazia curas, perguntei sobre o caso de cura que mais o emocionou. Ele respondeu que uma vez ajudou alguém, que estava há 14 anos na cama, a morrer com tranqüilidade. Cercado de quatro ou cinco pessoas, ele começou a emocionar-se e, de repente, levantou a calça de suas pernas. Para espanto de todos, diante dos nossos olhos, formaram-se chagas típicas de uma pessoa que fica presa a uma cama durante muito tempo, no pé de Amyr. Foi nesse instante que Pierre desceu pela mesma escada, acompanhado do empresário. Quando todos foram apresentados, Amyr deu um pedaço de metal, com formato oval, para o empresário. O pedaço de alumínio tinha sido transformado numa medalha na qual estava escrito:

"Lembranças da sua visita a Nossa Senhora de Fátima"!

Eu sabia que o empresário e o Amyr nunca tinham se encontrado antes. Não havia como Amyr saber de sua visita, com as suas filhas, a Fátima. Pierre Weil convidou Amyr e o grupo de curiosos que se formou ao redor, para o seu gabinete. Ao entrar pela porta, observamos o aparecimento, em plena luz do dia, do desenho de um coração no lado de fora da janela, feito da mesma substância, com cheiro de rosas, que exalou de suas mãos no estacionamento. Estávamos no primeiro andar, com a janela fechada!

Todos estávamos de pé e Amyr passou a conversar com cada um de nós. Assim como ocorreu com o empresário, ele tinha algo especial para cada pessoa na sala — algo que tinha algum significado espiritual específico. Quando chegou a vez de um dos assistentes de D.O.H, Amyr perguntou qual era o caminho espiritual que ele seguia. O rapaz respondeu que praticava uma forma de yoga cristã, desenvolvida na França no começo do século passado, por Felipe de Lyons. Depois de alguns minutos de conversa, ouvimos um barulho estrondoso no corredor. Saímos correndo e vimos um corredor vazio, exceto por um livro parecido com um dicionário, que estava a três metros de distância. Amyr pediu que o rapaz o pegasse e olhasse. Todos nós chegamos perto e vimos um livro velho e rabiscado, em francês, com o nome do autor em letras grandes — Felipe de Lyons. Data da publicação: 1926!

Entramos na sala e as maravilhas continuaram até chegar a minha vez. Comecei com a pergunta que estava na cabeça de todos. O diálogo foi mais ou menos assim:

— Como você fez isso, com o livro?

Ele respondeu: — Não sei exatamente. Há um lugar além do tempo e do espaço onde tudo é possível.

— Mas, esse livro é uma cópia ou você o tirou de algum lugar?

— Quando preciso mostrar algo, se ninguém está usando mais, posso transportá-lo. Quando preciso e alguém o está utilizando, faço uma cópia.

Perguntei sobre Deus e Amyr respondeu que tinha um relacionamento de amizade com Ele. Embora fosse muçulmano, ele disse que não entendia por que há tanta confusão entre as religiões. Nesse momento, ele pediu-me para dar-lhe minha mão. Ele colocou a palma da sua mão direita em cima da minha e comentou:

— Algo está chegando.

Dois ou três minutos depois, ele levantou a sua mão e, na minha palma, estava um colar de marfim que parecia um rosário. Ele perguntou se tinha algum significado. Eu contei as contas e tinha, exatamente, 57.

— Esse número tem algum significado?

Eu respondi:

— Eu sou membro da Universidade Espiritual Mundial Brahma Kumaris. Este ano estamos celebrando 57 anos de existência. Também utilizamos muito a cor branca porque simboliza a pureza.

Ele olhou para mim com um ar satisfeito e disse:

— Guarde isto. Vai ajudar no seu retorno.

Muitas outras coisas, igualmente fantásticas, aconteceram até quando, finalmente, entramos no carro para voltar para a cidade de Brasília.

Alguns dias depois, tive que dar uma palestra na cidade de Araguari. De lá, peguei um ônibus, às 21h30, para voltar para São Paulo. Por sorte, consegui duas poltronas juntas que me ajudariam a dormir melhor na viagem de oito horas para São Paulo.

Às 1h30 da manhã, num trecho da rodovia Anhangüera perto da cidade de Franca, o ônibus bateu na traseira de um caminhão que transportava cana, sem luzes atrás, a 120 quilômetros por hora. Capotou e parou no gramado, entre as duas pistas. Imediatamente houve grande alarido, gritos e confusão total. Fui o primeiro a sair do ônibus porque não me tinha acontecido nada. Fui ver o motorista e ele estava preso nas ferragens, ainda vivo. A maioria dos vinte passageiros estava bastante machucada. Comecei a tirar pessoas de dentro, por medo de uma explosão e pouco a pouco outros motoristas começaram a parar para ajudar no socorro às vítimas. Quando parou um outro ônibus, começaram a juntar os feridos no chão, para levá-los ao hospital. Parecia-me que alguns estavam mortos, mas não parei para me informar. Busquei minha mala e a encontrei a 50 metros do lugar. Num estado ainda um pouco zonzo, conversei com um dos motoristas. Descobri que ele ia para São Paulo e pedi uma carona.

Ele não podia crer que eu tinha estado dentro do ônibus. Eu entrei no carro e comecei a refletir sobre o que tinha acontecido. Um pouco antes da batida, eu tinha mudado de posição na poltrona, porque senti algo no bolso da minha jaqueta que estava me incomodando. Na nova posição, eu simplesmente acompanhei, ileso, a capotagem do ônibus. Lembrando da cena, instintivamente coloquei a minha mão no bolso da jaqueta e peguei a fonte do "incômodo". Era o rosário!

Então eu entendi as palavras do Amyr — "Vai ajudar no seu retorno."

Algumas semanas depois, o rosário desapareceu.

CAPÍTULO 10

Uma leitura
teológica

Jean-Yves Leloup

Depois do nosso último encontro com Amyr Amiden, consi-
derei a importância de escrever um texto de um ponto de vista
teológico, além do científico. Primeiro, uma reflexão sobre o que
parece ser o espírito que atua em Amyr, como no caso das ma-
ravilhosas materializações de seu pensamento no poema que ele
nos leu. Há um homem que pode criar a matéria e há um homem que somente quer irradiar amor. A meu ver, Amyr coloca-
se ao lado do amor. Significa que, através do amor, os seus poderes parapsicológicos, os seus carismas, se transformam em
serviço.

Parece-me que Amyr renunciou aos poderes do mago,
abrindo-se aos poderes do servidor. Servidor é a palavra pela
qual o Livro de Isaías se refere ao Cristo. Por conseguinte, encarna o poder do amor. O serviço da salvação e do despertar da humanidade é, também, o poder de compaixão do Bodhisattva, no
Budismo Mahayana.

Colocando-me a questão de qual seria a missão do Amyr para nós e para o mundo, parece-me, ainda, pouco precisa. A primeira resposta que ela me ocorre é que consiste na tarefa de maravilhar as pessoas, de provocar interrogações, estimular a pesquisa dos cientistas e despertar a consciência de qualquer pessoa para essas maravilhas. Depois, há algumas hipóteses e reflexões: as materializações são excelentes metáforas da criação do mundo a partir do nada. Não existia nada e uma pedra cai, uma jóia se manifesta, um óleo começa a emergir numa parede ou sobre uma rocha, um perfume se irradia e sinais se fazem ouvir... Essas manifestações, essas materializações são manifestações e materializações de quê? Do pensamento proveniente do consciente e do inconsciente, da espera e dos desejos dos participantes. Ocorre graças à presença do sensitivo, que tem o dom de catalisar as energias potenciais desses pensamentos, dando-nos a densidade suficiente para que ela manifeste, naturalmente, o meu desejo, segundo a minha hipótese. Caso a espera, consciente ou inconsciente, dos participantes seja fraca, o objeto terá fraca densidade; se o desejo, o pensamento e a espera, consciente e, sobretudo, inconsciente, são fortes, o objeto terá uma alta densidade, tornando-se ouro ou diamante.

Por outro lado, a hipótese mais teológica é que o paranormal ocupa o papel do Espírito Santo, no processo da criação do mundo, pois é dito que, pelo Espírito, tudo foi criado e, faltando o Espírito, que é o pensamento do Pai que o Filho encarna, tudo se perde. O Filho, o Cristo, é a encarnação do pensamento do pai. À imagem do mundo, podemos afirmar que o Filho se encarna com mais densidade na medida em que Ele é mais esperado, invocado e desejado, consciente e inconscientemente. Então, o Espírito pode dar-lhe a densidade de um Corpo de Diamante.

Assim, as materializações que testemunhamos não são manifestações negativas e demoníacas, como alguns podem supor; são metáforas da criação do mundo. Quando ficamos maravilhados com o aparecimento de um cristal, o coração se abre e pode se maravilhar diante da criação do Universo.

Lembro-me de uma mensagem de Santo Agostinho que afirmava: "Vocês estão espantados porque o Cristo transforma a água em vinho? Mas é isso que faz a videira, o ano todo! Vocês estão espantados porque Cristo reanima os mortos? Mas há 30, 40 ou 70 anos, onde vocês estavam?" Porque estamos fechados ao nosso Espírito e porque falta inteligência e amor em nossos corações, necessitamos de sinais extraordinários para nos darmos conta do milagre da vida cotidiana, do milagre de existir.

PARTE III

Interpretação dos Autores

CAPÍTULO 11

As materializações
à luz da física moderna

Harbans Lal Arora

Os fenômenos paranormais e metafísicos são considerados experiências místicas pela grande maioria dos cientistas. Eles são classificados ou categorizados como experiências religiosas subjetivas não-científicas. Os cientistas arraigados profundamente na abordagem clássica newtoniana/cartesiana ignoram esses fenômenos, quando não o ridicularizam. A física clássica, com base na abordagem positivista, materialista, limitada a energias físicas e à sua concepção do ser humano — corpo físico, cinco sentidos, mente analítica (separada do corpo físico) — é incapaz de explicar os fenômenos considerados não-normais.

Werner Heisenberg, um dos fundadores da abordagem quântica, dizia que a ciência não pode ignorar os fatos, mesmo que ela ainda não consiga explicá-los. Albert Einstein, o grande gênio do século, enfatizou que as energias sutis (não-físicas) são as formas de energias que ainda não podem ser medidas pelos equipamentos convencionais (mesmo pelos mais modernos, porque eles são, em essência, uma extensão dos cinco sentidos). Santo Agostinho dizia, no século VI, que nada na natureza é místico; certas experiências humanas parecem místicas porque nós entendemos só uma parte da natureza e não a compreendemos na sua totalidade.

Felizmente, a física moderna, baseada na abordagem quântica, relativista e transrelativista, holográfica, morfogênica, auto-organizacional e suas implicações nas diversas áreas, pode fornecer subsídios para uma melhor compreensão dos fenômenos paranormais/metafísicos/místicos.

As principais características da abordagem da física moderna e suas implicações são:

1. Espaço e tempo não são absolutos. Eles dependem das velocidades relativas entre o observador e o objeto observado.

2. Os objetos não têm uma forma rígida ou fixa; esta depende da velocidade do observador em relação ao objeto.

3. Nos níveis subatômicos, há dualidade complementar entre partículas e ondas de probabilidade, entre energia e massa, espaço e tempo.

4. A equação de Einsten ($E = mc^2$) foi derivada considerando a velocidade de radiação como limite máximo de velocidade dos objetos físicos. A validade desta equação pode ser estendida pela velocidade maior que "**c**" na região do espaço/tempo não-físico — domínio de massas, de energias correspondentes com os campos sutis. Este domínio engloba os campos etérico, astral, mental, espiritual (W. Tiller).

5. Os campos de energias sutis atuam no domínio quântico, que atua além do espaço/tempo físico e de suas limitações.

6. Duas partículas subatômicas interligadas entre si e depois separadas pela distância física continuam interliga-

das, independentemente da distância física da separação. A comunicação entre elas é instantânea (teorema de Bell/Bohm e experimentos de Aspect e outros).

7. A ligação entre eventos (padrão da teia de interligações) ocorre instantaneamente e a intensidade dos campos quânticos independe da distância física de separação (contrariamente aos campos de energias físicas, cuja intensidade diminui com a distância).

8. A consciência é fundamental. Matéria, energias físicas e sutis, mente consciente e inconsciente, são diversos estados da consciência. Consciências individuais são ligadas entre si e com a consciência cósmica universal, como uma teia dinâmica de inter-relacionamentos e interconectividade. Um em todos e todos em um. Os conceitos de inconsciente coletivo e supraconsciência encaixam bem dentro desta abordagem.

9. Os campos quânticos, morfogênicos, holográficos, auto-organizacionais são campos de energias sutis. Eles representam os diversos níveis de consciência.

10. Pela percepção através dos sentidos, as energias quânticas sutis se manifestam no nível físico e podem ser detectadas pela observação e por equipamentos convencionais.

O fenômeno da materialização pode ser entendido como a cristalização das energias sutis (além do espaço-tempo físico) no espaço-tempo físico. A forma que esta cristalização assume deveria depender da intencionalidade (consciente ou inconsciente) do agente paranormal. Os fenômenos, tais como premonição, sincronicidade, necessitam de estados transcendentais da consciência, além do espaço-tempo físico (onde a comunicação é limitada pela velocidade da radiação). Como é que um paranormal atinge esses estados da consciência? O poder de sidhis (poderes psíquicos) adquirido pelos yogues ou praticantes de diversas técnicas de meditação poderia explicar estes fenômenos.

Entretanto, existem pessoas paranormais que demonstram tais façanhas sem nenhuma preparação nesse nível. Ainda é difícil compreender como essas pessoas desenvolveram esses poderes.

As duas personalidades assumidas por Amyr, que podem se revezar num curto espaço de tempo, ainda é um mistério para a ciência moderna. Elas podem ser conseqüência de dois estados específicos de consciência, observáveis, inclusive, no nível físico.

Com base na abordagem da ciência moderna, torna-se possível uma explicação preliminar (mas plausível) dos fenômenos paranormais/metafísicos e de experiências místicas, cuja ocorrência é tão antiga quanto a história da humanidade.

O terceiro milênio será caracterizado pelo estudo, pela compreensão, pelo aperfeiçoamento e pela aplicação dos fenômenos não-normais e das energias sutis, atualmente considerados não-científicos.

CAPÍTULO 12

Reflexões antropológicas

Roberto Crema

O que chamamos de realidade é uma leitura que fazemos, a partir de uma visão do mundo e do ser humano no mundo. A fenomenologia apresentada anteriormente, a respeito de Amyr Amiden, é um texto especial a ser lido, decifrado, interpretado. Tal tarefa decorrerá, naturalmente, dos pressupostos antropológicos adotados por seu leitor.

A visão que postulamos a respeito do ser humano, consciente ou inconscientemente, modela a nossa atitude frente ao mesmo. Esta constatação evidencia a imprescindível tarefa de esclarecer os nossos pressupostos antropológicos, sobretudo para os educadores, terapeutas e demais facilitadores do desenvolvimento humano.

Portanto, é triste e trágico constatar a alienação da maioria das pessoas, inclusive dos profissionais, com relação aos seus postulados antropológicos. Nesse caso, é o inconsciente que prevalece, determinando a atitude básica da pessoa consigo mesma, com os outros e com o universo. Um dos poucos consensos entre terapeutas das mais diversas escolas é com relação à influência da primeira infância no desenvolvimento da personalidade básica, com suas compulsões atitudinais e recorrentes círculos viciosos. Para quem não conquistou qualidade subjetiva e consciencial, a visão antropológica será mera projeção inconsciente do passado, um automatismo decorrente das decisões precoces de sobrevivência, no marco do que Eric Berne denominava de *script*, e Stanley Krippner e David Feinstein de mitologia pessoal.

Neste sentido, lapidar e atualizar uma visão do ser humano de forma consciente e lúcida, de forma a poder transmiti-la e sustentá-la na prática do exercício cotidiano, é um pré-requisito indispensável à maturidade e responsabilidade do agente de saúde a nível individual, social e ambiental.

Segundo Jean-Yves Leloup, mentor do Colégio Internacional dos Terapeutas, há quatro pressupostos antropológicos que podem ser encontrados desde a Antigüidade clássica aos dias atuais. Cada um deles tem um valor de orientação básica na teia das intra e inter-relações humanas. De cada um deles decorre, também, conseqüência bastante visível nas dimensões interconectadas do conhecer, fazer, conviver e Ser, circunscrevendo o seu postulante num particular universo conceitual, valorativo e comportamental. Finalmente, a partir de cada um deles, uma leitura particular do fenômeno Amyr Amiden será realizada, seja facilitando ou dificultando o processo de compreensão. Estamos aqui diante da vasta e imperativa questão: o que é um ser humano?

O PRESSUPOSTO UNIDIMENSIONAL

O primeiro pressuposto é o materialista: o ser humano é um composto material, um "macaco nu", fruto de uma evolução mecanicista determinada pelo "acaso e a necessidade". O que chamamos de mente, alma e consciência são epifenômenos, derivados secundários de nossa dinâmica cerebral. Somos um pacote de reflexos incondicionados e condicionados ou de conexões nervosas permanentes e provisórias. Neste enfoque, a psique é meramente o reflexo da realidade material exterior no cérebro, sendo a psicologia uma ciência das funções cerebrais que refletem a realidade objetiva; nada mais que isto, dirão os reflexologistas.

Há formas acadêmicas muito elegantes e sofisticadas para sustentar este pressuposto que reconhece no ser humano, com valor científico, apenas a sua dimensão de concretude comportamental explícita, suscetível de mensuração e observação controlada. Tudo o que não for passível desse controle de variáveis é desconsiderado e banido da arena do conhecimento.

Não se questiona a importância e necessidade do substrato materialista da realidade. A indagação relevante é se tudo se resumiria ao pó que retornará ao pó. Sendo este o caso, uma premissa decorrente é que a qualidade de vida deve circunscrever-se aos bens materiais: saúde somática, riqueza, *status*; enfim, numa certa normótica saudação popular que assim celebra o ano novo: "Muito dinheiro no bolso, saúde para dar e vender!..." Implícita nesta visão encontra-se a devastadora mensagem consumista: "Aproveite o máximo! Não deixe para manhã o que pode gozar hoje! Tome todas que puder, pois a existência é um jogo breve!..."

A validade de uma antropologia decorre de sua utilidade e consistência na leitura e interpretação de nosso cotidiano existencial. A estreiteza do pressuposto materialista acentua-se na medida em que avançamos nas estações da existência. Na primavera e no verão, ou seja, na infância e juventude, o horizonte de um materialismo dialético poderá acolher graciosamente nossas travessuras e especulações. O que se torna cada vez mais difícil quando adentramos na maturidade do outono e nos aproximamos do inverno, a estação do fim.

A partir deste pressuposto, é completamente impossível compreender a fenomenologia descrita sobre Amyr Amiden. Levá-la em consideração e aceitá-la seria reconhecer a insuficiência desta visão, tornando imperativo a sua transcendência.

Sem negar a infra-estrutura material básica da existência, a segunda visão do ser humano amplia-se para acolher a sua vastidão anímica, alargando a nossa possibilidade hermenêutica diante da complexidade da realidade humana.

O PRESSUPOSTO BIDIMENSIONAL

O corpo que estamos sendo é informado, é animado. Aqui, com a introdução do fator psíquico, a abordagem torna-se psicossomática e o nosso universo é ampliado, incomensuravelmente.

A psique, ou anima, ou alma, refere-se à dimensão mental e emocional que nos constitui, um pacote de memórias, na típica expressão krishnamurtiana. Corpo e psique encontram-se numa irredutível relação dialética e sinergética. Refletindo-se mutuamente, tudo o que nos atinge numa dimensão repercute na outra, em intrínseca mutualidade e interdependência.

A consideração psíquica envolve o consciente e o inconsciente, assim como o estado de vigília e o de sonho, a vastidão onírica. Uma educação centrada na inteireza precisa ampliar-se, além do intelecto, no desvendar e desenvolver o horizonte psíquico. O investimento na subjetividade e intersubjetividade é o mais imprescindível no momento histórico em que vivemos, onde impera um processo cego de globalização, sem alma, sem coração e sem espírito, que pode apressar um declínio e trágico fracasso do projeto humano, caso persista em seus descaminhos. Estamos apenas nos primórdios da compreensão anímica. A alma há de ser a maior conquista do século XXI. Nossa maior responsabilidade é a de investir e lograr qualidade no microcosmo que nos foi confiado.

Um esclarecimento merece ser destacado: soma e psique conformam uma unidade e não uma identidade. Todas as evidências das ciências psíquicas de ponta, como a parapsicologia, psicologia transpessoal e tanatologia, apontam para uma hipótese transcerebral da psique. Em outras palavras, a psique pode transcender o cérebro, como atestam os ditos fenômenos psi, da parapsicologia; ou sidhis, da ciência da yoga; ou carismas, da tradição cristã. A psique, também, pode sobreviver à morte do corpo, como indica a pesquisa de situações limites como a experiência de quase-morte, *near death experience*, um tema já clássico na terapia contemporânea.

Assim, estas pesquisas de ponta convergem com as tradições sapienciais, como a do Bardo Thodol, o livro tibetano dos mortos, talvez o mais habilitado e profundo na consideração do estado intermediário, uma condição de alma errante, que se segue à passagem da morte. Uma abundante fenomenologia psicoterápica, através de técnicas regressivas ou, simplesmente, pela escuta do instante, sempre fecundo e pleno, torna a consideração deste tema um imperativo, à luz da atitude científica autêntica, lúcida, rigorosa, aberta e não-excludente.

A consideração do fator psíquico remete-nos a um vasto domínio, habitado por todas as polaridades que caracterizam o reino humano, e os múltiplos complexos de constituição mental-emocional, com seus atritos, conflitos, contradições e perplexidades. Cuidar do jardim da alma passa a ser uma tarefa imprescindível para se ampliar o potencial de autonomia e qualidade de existência.

Nossa pesquisa com Amyr Amiden evidencia, sobejamente, o grande alcance e impacto dos poderes psíquicos no mundo da matéria. Materialização, teletransporte, transcomunicação, telepatia, levitação, entre outros fenômenos psi, fazem parte do seu cotidiano existencial. Esta visão bidimensional, entretanto, não esgota a riqueza e o alcance dos fenômenos que o acompanham desde a infância.

O PRESSUPOSTO TRIDIMENSIONAL

Além da dualidade psicossomática, há que se agregar um terceiro componente da complexidade humana: *nous*, a "ponta acerada da alma", a dimensão silenciosa e contemplativa da consciência sem objeto, a profundidade serena e pacífica do oceano consciencial. A realidade humana, nesta visão, estende-se num campo trinitário psicossomático-noético.

Há um *continuum* ou continuidade corporal, psíquica e noética. Se penetrarmos na matéria que estamos sendo, nos depararemos com a energia e a informação, a memória. Se mergulharmos neste universo energético-informacional, penetraremos numa qualidade consciencial silenciosa, lúcida e pacífica: além das nuvens projetivas, o claro céu de *nous*.

A psique é inquieta e ruidosa. Para funcionar, a mente necessita de memória, vestígios das experiências passadas que, quando projetadas, gera o futuro. A ilusão do passado e a ficção do futuro assassinam a equanimidade e a paz. Portanto, a psique se traduz por infindáveis diálogos internos, convergentes e divergentes, amistosos e conflituosos. Os pensamentos se agitam, gritam; as emoções sussurram e bradam; o desejo é um cavalo doido que galopa, insaciável, em pradarias intermináveis. Uma boa metáfora para a psique é a da superfície agitada de um lago. Apontando para esta realidade, Buda afirmava que a mente é um macaco pulando de galho em galho, em busca do fruto, na selva do condicionamento humano.

Atingimos *nous*, quando somos capazes de serenar estas águas; então, na superfície quieta do lago pacificado, a lua poderá se refletir. Os antigos referem-se à qualidade noética como a de um espelho polido, que pode refletir a realidade com fidelidade. Outra metáfora é a do fundo imóvel e tranqüilo do oceano, além da agitação ondulante de sua superfície. Daí emana a máxima criatividade, as intuições flamejantes, a sabedoria da espécie.

Alguns traduzem *nous* por espírito. Consideramos mais apropriado traduzi-lo por consciência sem objeto, a dimensão mais apta para refletir o espírito sem, com ele, confundir-se. É como a luz do sol da essência refletida no espelho da consciência.

Esta é a dimensão simbólica do imaginal, de onde emergem os grandes arquétipos, as imagens estruturantes da psique, virtualidades que atuam como dínamos energéticos e que povoam as mitologias universais, os textos sagrados e os nossos sonhos do cotidiano.

Como desenvolver qualidade noética? Através das terapias perenes, das tradições sapienciais. Todas as escolas milenares de sabedoria têm suas tecnologias de transmutação consciencial, as vias meditativas do despertar da consciência sintética. As diversas yogas do hinduísmo, as práticas meditativas do budismo, as danças de êxtase dos dervixes, as práticas contemplativas do cristianismo, as meditações ativas do *tai chi chuan* e as artes marciais do taoísmo, a arte milenar xamanística, as práticas cabalísticas do judaísmo... todas as vias do despertar pleno, que Allan Watts chamava de caminhos de libertação e que, na UNIPAZ, chamamos de holopráxis.

Qualidade noética é uma função do resgate da visão original que capta o processo vivo e mutante da realidade. O novo líder emergente caracteriza-se pela inteligência noética, via de acesso a uma sabedoria inata, matriz sintética, criativa e cálida, onde sussurram as vozes dos Antigos, a comunidade dos santos e sábios que habita os abismos profundos da alma humana.

Uma alfabetização psíquica é absolutamente premente para que possamos transcender a miséria da ignorância anímica, provocada pelo paradigma do racionalismo científico. Confio que, na nova escola emergente, haverá espaço para o cultivo e desenvolvimento emocional, através de dinâmicas individuais e grupais. E um jardim de sonhos e mitos, onde a inteligência hermenêutica se alimentará de símbolos e arquétipos para que a qualidade noética seja cultivada, juntamente com práticas meditativas. E, sobretudo, um templo da plenitude, onde a criança, desde a mais tenra idade, aprenderá sobre as existências de seres humanos plenos, homens e mulheres que floresceram e deram um testemunho de humanidade íntegra e total, a exemplo de Buda e de Cristo. Não para que sejam imitados e, sim, para que possam inspirar a aventura existencial das gerações vindouras, apoiadas nos valores fundamentais da espécie, do bom, do belo e do bem.

A fenomenologia da qual damos testemunho neste livro, no nosso contato com Amyr Amiden, está impregnada de uma simbólica inteligência noética. Quando o fenômeno que dele irradia é dirigido a uma pessoa em particular, freqüentemente é tão óbvio quanto tocante o seu significado para o singular momento existencial da mesma. As mandalas que se desenhavam em guardanapos de papel e nas paredes e portas, os símbolos e a fragrância que apareciam em folhas que flutuavam até os nossos pés, as jóias com seus formatos e mensagens, a medalha de Bento com a cruz do exorcismo sintetizando o seminário que aguardávamos, entre tantos outros exemplos, às vezes impactantes, de forma eloqüente testemunham a atuação de uma inteligência noética, vasta e profunda, que o acompanha em suas façanhas.

O PRESSUPOSTO QUATERNÁRIO

A inteireza humana

A trindade psicossomático-noética conforma a nossa realidade horizontal, existencial. Se nela ficarmos circunscritos, a verticalidade da essência restará traída e subtraída. É imperativo acrescentar uma dimensão que indique o sagrado, o Absoluto.

O quarto pressuposto inclui o Mistério, apontando para a inteireza humana. "Contradigo a mim mesmo porque sou vasto!", diz o poeta. Só os estreitos não se contradizem, na coerência sufocante e escotomizante da normose. Nós somos apenas o que permanece; somos apenas o que não podemos mudar em nós mesmos. Afinal, o que somos?

Estamos sendo um corpo, já que este se transforma, continuamente. Estamos sendo uma psique, também transitória e mutante. Estamos sendo *nous*, um testemunho consciencial de vir-a-ser permanente. Estes são os nossos companheiros de passagem, nascidos e compostos, fadados à decomposição e à morte. O que permanece é o Ser.

Ruah, em hebraico; *Pneuma*, em grego; *Espiritu*, em latim. O termo original e primeiro é feminino; o segundo é neutro; o último é masculino. Temos, então, a deformação do feminino em masculino, sob a vara condicionante do patriarcalismo. Em maiúscula, para significar que estamos nomeando o Sem Nome, o Incriado, a dimensão de Eternidade que se aninha no seio de nossa finitude. *Ruah* significa sopro, o alento vital que nos atravessa. A Vida, útero de tudo que nasce e tumba de tudo que finda. A Vida, aquilo que resta quando já não resta mais nada...

Numa singela e bela lição, Buda perguntou aos seus discípulos: "O que é o oposto à morte?" Com a mente binária, todos responderam: "Vida." Ao que o mestre sentenciou: "Não; é o nascimento, pois a Vida é eterna!" Nosso composto trinitário existencial é atravessado pelo Mistério da Vida e, agora, estamos diante do pressuposto antropológico que dá guarida à vastidão do fenômeno humano: psicossomático-noético-essencial.

Um princípio da holística afirma: não mesclar, não separar. A existência e a essência não podem ser misturadas nem destacadas. Com o cuidado filosófico de não relativizar o Absoluto, nem absolutizar o relativo. Como afirmavam os antigos terapeutas de Alexandria, saúde plena é quando a essência transparece na existência. É um estado de vitalidade essencial, quando o soma, a psique e *nous* são habitados pelo Sopro da Vida, pneumatizados. É a religação com a Fonte de tudo que existe e respira, traduzida no tema da transfiguração, que encontramos no itinerário de Moisés e de Cristo, assim como na epopéia do Mahabarata, quando Krishna, que representa o *Self*, desvela o seu Ser para Arjuna, que simboliza o ego. Metanóia final: ir além de *nous*, abrindo o ego para o Ser, a existência para a Eternidade.

Os antigos registram uma passagem, bastante didática, de Alexandre, o Grande, quando se encontrou com o sábio Diógenes, no deserto. "Peça-me o que quiseres que eu terei prazer em ofertar-lhe." Respondeu o mestre: "Apenas retire-se de minha frente, pois você está tapando o Sol!..."

Nada há para fazer ou desenvolver nesta dimensão essencial. Como poderá desenvolver-se o que não nasceu? "O espírito está pronto; a carne é fraca", diz a sabedoria Crística. Basta retirar Alexandre, o Grande — o ego —, da frente; basta afastar as nuvens da ignorância existencial, que o Sol há de brilhar, ao mesmo tempo iluminando e aquecendo o tempo-espaço da existência. Basta cavar a rocha bruta, inoculando qualidade na consciência noética, na psique e no soma, que o Diamante Daquilo que É se manifestará. Eis a Pedra Filosofal dos alquimistas, a transmutação do lodo em flor, que traz beleza e fornece uma inspiração sagrada à nossa jornada. Então, entre um passo e outro, entre um movimento respiratório e outro, poderemos descansar com a brisa fresca da Presença. O que passa postado diante do que é, o ego orientado pelo Ser, raízes e asas, montanha descansando na planície, um Ser Humano íntegro e ereto, religando terra e céu.

Com relação à nossa pesquisa, no que diz respeito à consideração pneumática, o que considero fundamental é a relativização dos fenômenos existenciais perante o que, de fato, é essencial. Amyr Amiden é um privilegiado canal, através do qual se manifesta uma rica e ampla casuística parapsicológica e transpessoal. Quando a pessoa se considera o agente desta realização — e não o canal de expressão de uma inteligência que a transcende — pode acontecer a perigosa síndrome de inflação egóica. Amyr Amiden é imbuído de uma profunda mística islâmica que lhe fornece uma base essencial no primado do Espírito.

É a desidentificação com o fator egóico, através da ancoragem na essência, no Ser, que possibilita o equilíbrio e a centralidade no processo de integração e resgate da consciência de inteireza. A árvore da sanidade e excelência humana tem as suas raízes fortemente cravadas no solo vivo da espiritualidade. No sentido em que a compreendo, espiritualidade refere-se a uma consciência de participação não-dual, que se traduz, em seu âmago, por Amor e se encarna, praticamente, como Serviço. Estar de pé diante da Realidade, ancorado na Fonte amorosa e terna, amparado no Grande Pai, na Grande Mãe, no colo suave da Vida, recebendo "no rosto o sol", como afirma o inspirado poema de Jean-Yves Leloup:

> Jesus
> O almirante louco
> Da esquadra do amor
> De pé em seu grande mastro
> Recebe no rosto o sol.
>
> Como uma mulher tuaregue
> Surpreendida na fonte
> Levanta o véu.
> Há uma sombra sobre a terra
> Aí virão descansar os rebanhos.

Então, poderemos orar com Rabindranath Tagore, Diante de Ti:

> Cada dia,
> ó Doador da vida,
> estarei diante de Ti.
> De mãos postas, ó Deus da terra,
> estarei diante de Ti.
>
> Sob o céu sem fronteiras,
> no silêncio, solitário,
> de coração humilde e com lágrimas nos olhos,
> estarei diante de Ti.
>
> Neste mundo mutante,
> no corre-corre da existência,
> em meio aos homens da terra,
> estarei diante de Ti.
>
> Quando neste mundo
> minha missão terminar,
> ó Rei dos reis, sozinho, em silêncio,
> estarei diante de Ti.

CAPÍTULO 13

O fenômeno Magenta: implicações para a parapsicologia

Stanley Krippner

Desde que os seres humanos começaram a refletir sobre sua experiência eles têm descrito fantasias que pareciam transmitir pensamentos de outra pessoa, sonhos nos quais eles pareciam tornar-se conscientes de acontecimentos longínquos, rituais em que fatos futuros eram supostamente vistos e procedimentos mentais que pareciam produzir efeitos diretos sobre objetos físicos ou organismos vivos distantes. Essas ocorrências podem ter sido instâncias do que agora é chamado de "telepatia", "vidência", "premonição" e "psicocinética". Coletivamente elas são chamadas de "psi", interações relatadas entre organismos e seu ambiente (inclusive outros organismos) em que se tem informação ou influência que não pode ser explicada por meio do conhecimento científico convencional dos canais sensoriais. Em outras palavras, esses relatórios são paranormais porque parecem excluir os limites de tempo, espaço e força.

Quando nossos ancestrais tentavam localizar objetos perdidos, eles estavam experimentando o que hoje em dia se chama de clarividência. Quando tentavam se comunicar com alguém a distância, eles estavam procurando empregar o que hoje se chama de telepatia. Quando tentavam adivinhar o futuro, estavam tentando evocar a precognição. Quando pensavam que estavam usando magia para recuperar um osso quebrado, eles estavam testando a psicocinética ostensiva.

Psicologia é o estudo científico do comportamento e da experiência. Contudo, um pequeno número de psicólogos e outros cientistas estão interessados em eventos paranormais. Esses cientistas são chamados de "parapsicólogos" ou "pesquisadores psi". Eles estudam comportamentos e experiências relatados que aparentam estar fora dos limites dos mecanismos conhecidos de explicação que consideram as informações organismo-ambiente e organismo-organismo e o fluxo de influência entre eles.

Rótulos como "percepção extra-sensorial" e "psicocinética" se referem à direção aparente de informação ou fluxo de influência. Percepções extra-sensoriais referem-se a situações em que, em condições controladas, um organismo se comporta como se tivesse informação sobre o ambiente físico (como na "clarividência"), sobre os processos mentais de outro organismo (como na "telepatia") ou sobre um acontecimento futuro (como na "precognição"). A "psicocinética" se refere a situações nas quais, em condições controladas, o ambiente próximo ou distante de um organismo muda, de forma que aparenta estar relacionado com os processos mentais ou psicológicos desse organismo. A "psicocinética" pode ser estudada considerando-se sistemas móveis (por exemplo, dados em movimento), sistemas estáveis (por exemplo, tiras de metal) ou sistemas vivos (por exemplo, células sangüíneas).

No decorrer do século XX, um número considerável de pesquisas tem sido conduzido na tentativa de entender esses relatos e de determinar se são, de fato, paranormais ou se podem ser explicados por princípios psicológicos habituais. Algumas dessas explicações habituais seriam: falha de memória, inferência, sinais de percepção, percepção subliminal, coincidência e decepção. Não há consenso, entre psicólogos e outros cientistas que têm examinado o psi, quanto ao seu grau de validade ou confiabilidade. O tema continua sendo controvertido.

Do ponto de vista filosófico, fenômenos "paranormais" diferem dos fenômenos "sobrenaturais". Os últimos, se existem, estão — por definição — *separados* da natureza e podem até *suspender* ou *contradizer* leis e princípios naturais. Parapsicólogos e outros pesquisadores de fenômenos paranormais assumem que os acontecimentos e as experiências que analisam são *legítimos, naturais*. Eles pressupõem que, em algum momento, a informação que produzem se encaixará em um corpo científico de conhecimento, com ou sem a revisão do mundo científico atual. Acontecimentos sobrenaturais — se ocorrem — não são legítimos, predizíveis ou acessíveis ao entendimento humano. Como resultado, a maioria dos parapsicólogos não usa o termo "sobrenatural" ou o aplica aos fenômenos que estuda.

"Magia" é um termo usado para descrever um corpo de tecnologia aplicada, utilizada para influenciar fatos que uma sociedade considera incomensuráveis, incertos ou inexplicáveis. Se "magia" representa princípios "naturais" (tais como mágica, atribuição ou ocorrências legítimas anômalas), é acessível à investigação parapsicológica. Mas se "magia" provém de fontes "sobrenaturais", está acima do escopo da ciência, ao menos como a disciplina é concebida na atualidade.

Os autores geralmente usam o termo "magia" para referir-se a feitos extraordinários dos seres humanos, enquanto os chamados agentes "sobrenaturais" (como espíritos, anjos e deidades) supostamente realizam "milagres". Práticas e fenômenos "mágicos" são acessíveis ao estudo científico porque seguem "leis naturais". Isso pode ser demonstrado pelas numerosas "receitas" e "guias" que aparecem em textos de alquimistas, manuscritos de feitiçaria e de magos.

A natureza controversa das anomalias como o psi tem desencorajado a maioria dos cientistas de estudar, ou mesmo de relatar, esses acontecimentos. Entretanto, numa tentativa de trazer seu trabalho para um diálogo com a ciência dominante, a maioria dos parapsicólogos tem tentado apresentar projetos de pesquisa que necessitam de atenção e de respeito quando publicados.

METODOLOGIA DE PESQUISA EM PARAPSICOLOGIA

Para entender o modelo metodológico em parapsicologia, é útil ter familiaridade com um axioma e três pressupostos básicos. Um axioma geral da ciência é que não há conhecimento sem comparação. A partir desse axioma, está o pressuposto de que a medição em psicologia é bastante imprecisa e que nunca pode ser tão exata como as medições típicas nas ciências biológicas e físicas. O segundo pressuposto é que há amplo número de variáveis que são encontradas quando estudamos os fenômenos parapsicológicos, e que muitas dessas variáveis são relativamente independentes (em física, por outro lado, há somente algumas variáveis). O terceiro pressuposto é que essas variáveis variam com o passar do tempo. Algumas (por exemplo, habilidade precognitiva) variam muito.

Essas variáveis são construções hipotéticas ou entidades conceituais. Portanto, para estudar a relação entre duas ou mais, elas devem ser definidas "operacionalmente" de maneira que a quantificação, ou outro tipo de observação, seja possível. Se uma definição "operacional" não é viável, uma descrição é necessária para que seja possível atingir-se um consenso.

Por exemplo, não há definição "operacional" de "consciência", tampouco se atingiu um consenso quanto à descrição do termo. No entanto, um número de procedimentos tem sido desenvolvido para medir "estados alterados de consciência", por exemplo, escalas medindo a "hipnotizabilidade", a "intensidade de hipnose", o "grau de absorção" e a tendência a "dissociar". Também é possível submeter informações de entrevistas à análise lingüística, de conteúdo ou fenomenológica, sendo que todas produzem medidas de alguma forma. Por exemplo, há um número de maneiras de medir o conteúdo de sonhos ou imaginário mental, comparando diferentes grupos de sujeitos.

PERSPECTIVAS DA CIÊNCIA CONTEMPORÂNEA

Na ciência, um "fato" é uma afirmação da relação demonstrada entre duas ou mais variáveis. Contudo, para entender o significado desses "fatos", pesquisadores precisam ter um contexto de relações comparativas, assim como um contexto de observações, que dá mais significado às afirmações das relações entre variáveis. Esse contexto de relações comparativas é o domínio da metodologia e modelo de pesquisa.

Como o propósito central da ciência é entender por que e como as relações ocorrem, a força, o tamanho e a direção causal dessas relações precisam ser determinadas. Essa qualidade é chamada de "validade interna" do modelo de pesquisa. Essas relações de pesquisa e qualquer afirmação de causa e efeito que emane delas, devem ser mostradas para generalizar situações ou organismos similares. Essas generalizações são chamadas de "validação externa" do modelo de pesquisa.

A pesquisa parapsicológica com grupos e indivíduos especiais pode tomar várias formas, desde modelos experimentais bem controlados até modelos observacionais. Em primeira instância, variáveis são sistematicamente impostas, seja pelo pesquisador, seja por condições que ocorrem naturalmente. No segundo modelo, o pesquisador observa ou trabalha com sujeitos em condições ou situações naturais, gravando seu comportamento ou suas afirmações sobre suas experiências. É mais fácil obter medidas do primeiro modelo que do segundo. Se não resultam medidas do segundo modelo, alguns pesquisadores não considerariam o empreendimento como sendo "científico", mas meramente como o primeiro passo de uma investigação científica futura.

Para determinar se um comportamento ou uma experiência relatada é "paranormal", critérios de avaliação são necessários, porque o que é considerado paranormal em uma sociedade pode não o ser em outra época ou lugar. Quando fenômenos são considerados paranormais porque parecem obstruir os limites de tempo, espaço e força, esses julgamentos são feitos do ponto de vista da ciência ocidental, cujas origens remetem ao final do século dezessete. Foi criada uma metodologia que colocou de lado os pressupostos da metafísica de uma dúzia de séculos, produzindo o que seus proponentes consideram ser uma maneira extremamente confiável e precisa de descrever o mundo dos fenômenos. Alguns críticos da ciência ocidental apontam que seus fundadores eram homens europeus brancos; como resultado, esses críticos afirmam que a ciência ocidental não tem direito de definir a realidade para outros, especialmente mulheres, não-ocidentais, pessoas de cor e "vítimas" do capitalismo euro-americano.

Esses críticos lançam questões importantes, especialmente no que diz respeito às fontes dos preconceitos da ciência e ao uso da tecnologia científica para propósitos malévolos. No entanto, eles negligenciam as contribuições feitas à ciência contemporânea por mulheres e não-ocidentais; em última instância, não há ciência "ocidental", "não-ocidental", "masculina ou feminina"; há simplesmente "boa" ciência e "má" ciência.

MÉTODO DE PESQUISA OBSERVACIONAL_____

Entrevistas e relatórios de segunda mão produzem informação que é valiosa para obter uma imagem clara da fenomenologia de experiências paranormais. No entanto, não envolvem a manipulação de variáveis e raramente são úteis para determinar relações de causa e efeito. Além disso, não fornecem evidência suficiente sobre a operacionalidade de fatores incomuns. O entrevistado pode ter mentido, usando linguagem metafórica ou deturpando a experiência. Por outro lado, o entrevistado pode ter respondido honestamente mas pode ser vítima de alucinações, ilusões, engano ou memória falha.

Em observações informais de primeira mão, o relato é valioso porque descreve comportamento paranormal onde ele ocorre. No entanto, o observador pode ser iludido por efeitos ópticos, por truques de magia, por distração ou por lembrança incompleta do que foi observado. Em observações e pesquisas controladas, a experiência direta, vivida pelo participante da pesquisa, pode ser distorcida, mas quaisquer efeitos que desafiem explicações comuns tendem a ser autênticos caso tenham sido tomadas algumas precauções:

1. Escrever um guia de procedimentos e distribuí-lo para críticas construtivas antes de proceder à observação ou de fazer o experimento.
2. Evitar que o sujeito controle a "tarefa" predeterminada (por exemplo, identificar um objeto por vidência) de maneira que elimine a sugestão sensorial e a atividade motora inadvertida.
3. Tomar precauções para garantir que as pessoas que gravam o evento (por exemplo, as respostas dadas ou o comportamento que ocorre) não comprometam a integridade da resposta ou o comportamento do sujeito.

4. Impor medidas adequadas para garantir coleta precisa de informações e para prevenir a alteração da informação observacional, seja acidental, seja deliberadamente.

Colocar esses princípios em prática não é uma tarefa simples. Alguns desafios estão envolvidos nesse tipo de trabalho de campo. Primeiro, parapsicólogos às vezes têm atitude de extremo ceticismo. Outras vezes, são excessivamente abertos a fenômenos paranormais. Ambas as atitudes podem obscurecer as suas observações. Segundo, a verificação de eventos incomuns é difícil devido a anotações inadequadas, à falta de co-observadores ou à ausência de outros materiais documentários (vídeo, filme, artefatos físicos, etc.) Terceiro, muitos investigadores têm conhecimento insuficiente dos princípios envolvidos na condução de estudos rigorosos de fenômenos paranormais.

APLICAÇÕES AO FENÔMENO MAGENTA

O fenômeno magenta se caracteriza como experiência e evento "paranormal" porque representa interações relatadas que não podem ser explicadas por meio do entendimento da ciência dominante do que seriam canais sensoriais-motores. Por exemplo, nossa oitava sessão com Amiden deu-se no escritório de Pierre Weil e nas intermediações na universidade. Toda a nossa equipe estava presente. Mais cedo, naquela noite, um desenho, feito de um líquido oleoso com odor de perfume, com forma de coração, foi observado na parede do corredor. Até onde sabíamos, Amiden não esteve sequer próximo à parede antes do desenho em forma de coração ser notado. Como resultado, essa experiência poderia ser considerada "paranormal", talvez um exemplo de "psicocinética" — mudanças no ambiente que parecem estar relacionadas aos processos mentais ou fisiológicos de Amiden. Neste caso, a mudança deu-se em um sistema estável, a parede do corredor.

Em vez de considerá-lo um "milagre" e atribuí-lo a uma causa "sobrenatural", nosso grupo notou que alguns membros da equipe se vincularam ao desenho. Lal Arora viu o desenho em forma de coração como remanescente da relação com a sua esposa, pois estava preocupado com a saúde dela. Weil, devido ao seu trabalho pela solução pacífica de conflitos, também se identificou com o coração. Ademais, Weil reconheceu o cheiro do líquido oleoso como um odor que há tempos ele associara a Amiden. Essa interpretação de um fenômeno textual é do campo da "hermenêutica" que, como uma pesquisa disciplinada no domínio das humanidades, está fortemente relacionada com a pesquisa científica. Diferentemente das ciências sociais "objetivas", a hermenêutica não se empenha em obter informação descontextualizada, mas enfatiza os significados como vivenciados pelos indivíduos cujas atividades se dão em contextos sócio-históricos específicos. Como resultado, a hermenêutica é geralmente descrita como um método nas "ciências humanas" juntamente com a heurística, teoria fundacional, observação participativa e qualquer outro método que considera que a "objetividade" mais esconde que revela quando se quer entender devidamente a atividade humana.

Por exemplo, os barulhos paranormais associados ao rádio na presença de Amiden podem ser discutidos "objetivamente" quando suas características de freqüência são estudadas. Mas quando são estudados no contexto de perguntas e das características pessoais daqueles que formulam essas perguntas, a atribuição do significado torna-se parte do paradigma de pesquisa. A fonte desses sons paranormais está aberta à especulação e muitas conjeturas filosóficas e metafísicas têm sido apresentadas, entre elas que são "anjos", "espíritos", mensagens inconscientes do fundo da psique de Amiden. Finalmente, se alguém tivesse de destilar "instruções para a vida" dessas "mensagens", ingressaria na esfera da religião. Nesse caso, a sua fonte seria aceita pela "fé" e não com base em princípios científicos.

UMA DEFINIÇÃO OPERACIONAL DE "PARANORMAL"

Na ciência, a comparação é necessária para atingir o conhecimento. Medidas são necessárias para comparar. No caso do Fenômeno Magenta, nós desenvolvemos uma definição operacional de "paranormal". Quando um ou mais componentes da equipe sentia que um fato incomum tinha, de fato, acontecido, Krippner e Kelson tomavam notas. Periodicamente, três membros da equipe (Krippner, Weil e Winkler) classificavam cada caso em uma escala de observação de anomalias de 5 pontos. Essa escala ia do 1 (ausência de paranormalidade) ao 5 (grau extraordinário de paranormalidade). A média de cada conjunto de medidas era usada para propósitos comparativos. O modelo de pesquisa estabelecia que um caso deveria ter uma medida média de 2,1 ou maior para ser considerado um evento paranormal.

Por exemplo, o aparecimento do desenho em forma de coração teve um *rating* médio de 4,7, classificando-se como um evento paranormal. Contudo, quatro marcas pretas na porta do quarto de Weil tiveram uma medida média de 1,0. O *status* de ausência de anomalia deveu-se à lembrança de Weil de que um pôster estivera colado em sua porta uma semana antes. Por outro lado, uma medalha religiosa caiu no chão do escritório de Weil, vinda aparentemente de lugar distante, enquanto estávamos lá. Esse caso recebeu uma medida de 5,0, assim como o aparecimento de outra medalha alguns minutos depois. Durante oito dias, um total de 20 sessões foram realizadas com Amiden. Um total de 91 eventos foram considerados paranormais. Seis fenômenos não se adequaram aos critérios predeterminados.

Várias outras informações estavam disponíveis para análise. Elas incluíam as leituras do magnetômetro e as leituras do pH da saliva, o pulso e a pressão sangüínea de Amiden. Utilizando-se um método de correlação estatística, cada leitura fisiológica foi relacionada a eventos paranormais contíguos. Houve 18 leituras do pH da saliva precedidas por eventos paranormais, e 17 leituras do pH da saliva seguidas por eventos paranormais. Quanto mais baixa a leitura de pH, mais alta a concentração de ácido, portanto há uma leve, não significativa, tendência de maior acidez na saliva estar associada a índices de anomalia mais altos.

Houve 22 leituras de pulso precedidas de eventos paranormais e 21 leituras de pulso seguidas de eventos aparentemente paranormais. O pulso de Amiden foi considerado rápido e sintomático de taquicardia. Houve 13 leituras de pressão sangüínea sistólica precedidas de eventos paranormais e 12 leituras de pressão sangüínea sistólica seguidas de eventos paranormais. O padrão da pressão sangüínea de Amiden foi considerado levemente elevado do ponto de vista médico.

Houve 13 leituras de pressão sangüínea diastólica precedidas de eventos paranormais e 12 leituras de pressão sangüínea diastólica seguidas por eventos aparentemente paranormais. Quando o coração contrai, força o sangue a movimentar-se através das artérias. Isso resulta na pressão sangüínea sistólica. Quando o coração relaxa, a pressão nas artérias cai como uma maré baixa; isso é o que se chama de pressão diastólica. As leituras de pressão sangüínea, como um todo, poderiam indicar hipertensão. Pressão alta ocorre quando o sangue não pode passar livremente através das artérias. As leituras de pressão sangüínea diastólicas precedidas de fenômenos aparentemente paranormais geraram resultados estatisticamente significativos.

A correlação significativa com a pressão sangüínea diastólica pode indicar que Amiden tinha um *rush* de adrenalina pouco após a ocorrência de fenômenos paranormais. Entretanto, se Amiden tivesse recorrido a truques de magia, é possível que o *rush* se seguisse ao que ele considerava uma tentativa bem-sucedida de decepção. Claro que ambas as interpretações são especulativas.

As leituras geomagnéticas foram tomadas somente três dias porque o magnetômetro, o único em Brasília, não esteve disponível em outras sessões. Utilizando outro método estatístico de correlação, encontramos 17 leituras geomagnéticas precedidas de fenômenos paranormais e 15 leituras geomagnéticas seguidas de fenômenos paranormais. A primeira dessas correlações foi estatisticamente significativa. Quando as leituras geomagnéticas foram relacionadas com os fenômenos paranormais mais próximos no tempo (independentemente de serem anteriores ou posteriores ao fenômeno), os resultados também foram estatisticamente significativos.

Essas duas correlações significativas entre índices altos na Escala de Observação de Anomalias e leituras geomagnéticas elevadas sugerem que a atividade geomagnética pôde conduzir aos fenômenos paranormais que presenciamos. A terceira correlação não foi significativa, mas indicou a mesma tendência.

Amiden não estava consciente da literatura parapsicológica sobre efeitos geomagnéticos e não pôde descobrir que dias tinham leituras geomagnéticas mais altas porque havia somente um magnetômetro em Brasília. Contudo, a imprevisibilidade do equipamento não nos permitiu obter leituras com freqüência suficiente para checar variações diurnas na atividade geomagnética, uma fonte potencial de artefatos.

15 de março de 1994 foi o dia em que a variação das leituras do magnetômetro foi mais alta, um dia em que a razão de fenômenos paranormais foi de 1 desses fenômenos a cada 13,71 minutos. Esse dia, assim como a noite de 13/3/94 quando a razão de fenômenos paranormais foi ainda mais alta (1 anomalia a cada 5,0 minutos), foram marcados por chuva e trovões. O Boletim de Índices Geomagnéticos de março de 1994 (Centro Nacional de Informação Geofísica, 1994) lista 15 de março e 10 de março como o primeiro e o segundo dias "mais magneticamente afetados" do mês. Dos dias em que houve sessões formais com Amiden, esses foram dois dos três dias com o índice mais alto de fenômenos considerados paranormais.

TRÊS MÉTODOS DE OBSERVAÇÃO

A visita de Amiden em 17 de fevereiro de 1993, enquadra-se no título de uma "observação informal". Membros do Instituto de Ciências Noéticas diligentemente anotaram suas observações e mais tarde as publicaram. Com base nesses resultados provocativos, e na cooperação graciosa de Amiden, uma "observação controlada" foi planejada. Mesmo se não ocorrer fraude, observações informais de primeira mão podem ser afetadas por distrações e lembrança incompleta. Os relatos do grupo do Instituto de Ciências Noéticas contêm algumas afirmações contraditórias, apesar da maioria ter se harmonizado após análise cuidadosa da gravação e das fotografias.

A observação controlada procurou seguir as precauções necessárias:

1. Uma afirmação normativa foi preparada e distribuída a todos os participantes e à comissão de revisão do Instituto Saybrook.

2. Amiden foi impedido de controlar as sessões fazendo a pesquisa colaborativa. Amiden trabalhou junto com a equipe de pesquisa e decidiu-se que não seriam predeterminadas "tarefas" específicas. Acordou-se hora e lugar para cada sessão e o grupo esperou pacientemente a ocorrência de um fenômeno paranormal.

3. Foram tomadas precauções para manter a integridade do fenômeno por meio de gravações. Krippner e Kelson escreveram, separadamente, relatórios de cada sessão. A cada noite, após a conclusão das sessões, Krippner e Winkler passaram as informações para um processador de texto. No final do estudo, Amiden revisou o relatório final, dando sugestões para aumentar a precisão, que foram incorporadas. Amiden instalou sua câmera de vídeo no escritório de Weil, mas as gravações não foram compartilhadas com a equipe de pesquisa.

4. Medidas foram tomadas para impedir a alteração das informações. Como mencionado anteriormente, havia duas pessoas gravando a sessão. Ao final de cada sessão, os relatos eram gravados. Contudo, havia dois métodos de coleta de dados que não eram ideais. As leituras do pH da saliva de Amiden, o pulso e a pressão sangüínea foram esporadicamente tomadas por Kelson, especialmente quando Amiden comentou: "Acho que algo está prestes a acontecer." O magnetômetro somente esteve disponível durante três dias e as baterias se descarregavam em cada um deles, necessitando da instalação de novas baterias.

Apesar da variação das pessoas (três) utilizando a Escala de Observação de Anomalias, das intermitentes (e manuais) gravações dos dados fisiológicos e da carência do equipamento geomagnético, foram colhidas algumas informações estatisticamente significativas. Esse foi um resultado significativo para um estudo-piloto.

Durante as sessões com Amiden, foram freqüentemente tecidos comentários a respeito de proceder-se a um estudo de continuidade. Ele seria um estudo "formal", com equipamento automático de monitoração fisiológica, com um geomagnetômetro em boas condições de funcionamento e uma Escala de Observação de Anomalias revisada e mais sensível. Adicionalmente, seriam contratados os serviços de um mágico que fosse simpatizante da pesquisa parapsicológica. Amiden parecia concordar com cada uma dessas sugestões e os planos foram iniciados.

Krippner conseguiu incorporar os serviços de um conhecido neuropsicólogo que prometeu trazer equipamento psicofisiológico de última geração ao Brasil. Krippner também logrou o empréstimo de um geomagnetômetro em bom estado. Finalmente, Krippner localizou um mágico brasileiro que tinha conhecimentos de parapsicologia e simpatizava com a pesquisa de psi.

OS MÁGICOS E A PESQUISA PARAPSICOLÓGICA

A Associação de Parapsicologia enfatiza que o compromisso com o estudo dos fenômenos psi não necessita assumir a realidade de fatores ou processos "incomuns". Apesar dessas afirmações cautelosas, a parapsicologia tem sido denominada por críticos como uma "pseudociência", uma "ciência *deviante*" e uma "ciência espiritual", que é incompatível com a visão científica moderna. De fato, parapsicólogos têm sido acusados de abrigar uma agenda oculta em seus trabalhos. James Alcock, um psicólogo canadense, que é um desmitificador dos fenômenos psi, escreve: "As anomalias são para a maioria dos parapsicólogos somente um meio para atingir um fim; em última instância, eles esperam que esses experimentos demonstrarão, de uma vez por todas, que a ciência como a conhecemos está enganada em sua orientação materialista e que a existência humana envolve um aspecto não-material que sobrevive à morte e à deterioração do corpo físico. Enquanto existir a necessidade de encontrar o significado da vida, além do que decorre de uma filosofia materialista, a busca pelo paranormal continuará."

Em 1983, a Associação de Parapsicologia adotou uma resolução conclamando pesquisadores a consultarem mágicos e outros especialistas em truques de magia. Eu era presidente da Associação de Parapsicologia nesse ano, e coordenei o esforço para obter aprovação dessa proposta. Na convenção do ano seguinte da Associação de Parapsicologia, um painel de discussão incluiu alguns mágicos e comerciantes de equipamentos de magia para *shows* de palco. Essa discussão concentrou-se no que os pesquisadores psi poderiam aprender de especialistas em truques de magia. Também forneceu exemplos de pesquisas passadas que foram abertas a críticas porque não estavam presentes mágicos como observadores, co-pesquisadores ou consultores.

Em 1981, o sociólogo norte-americano Marcello Truzzi conduziu uma pesquisa com membros da Associação de Parapsicologia. Somente 3% dos que participaram concordaram com a afirmação: "A maioria dos mágicos acredita na veracidade do psi." Contudo, em uma pesquisa de mágicos conduzida paralelamente, 82% dos mágicos norte-americanos expressaram sua crença no psi. Uma pesquisa semelhante com mágicos alemães mostrou que 72% pensavam que o psi era provavelmente uma realidade. Em outras palavras, não há razão para suspeitar que há uma carência de mágicos simpatizantes dispostos a colaborar com as pesquisas de parapsicologia, como nosso trabalho com Amiden.

No caso dos sons de rádio, havia uma nítida e clara comunicação nos dois sentidos. Fizemos perguntas diretas e recebemos respostas diretas durante duas horas. Por isso eu não penso que os sons de rádio tivessem sido eventos ao acaso.

CONCLUSÕES

A menção de Amiden sobre sua iniciação pelo "homem verde" que conheceu no quintal de sua casa assemelha-se ao relato de outra pessoa. Em 1987, um jovem inglês, Philip Spencer, disse adeus a sua esposa e começou a caminhar pelas trilhas acidentadas perto de sua casa. De repente, ele viu uma pequena criatura verde se afastando rapidamente dele. A criatura virou para trás e balançou o braço. Spencer carregou sua câmera e fez uma tomada. Seguiu a criatura mas sem sucesso. Quando o filme foi revelado, Spencer reconheceu a criatura, com braço levantado, como se estivesse se despedindo. Especialistas em fotografia garantiram que o filme não havia sido alterado. Ademais, a bússola de Spencer apontava para o sul e não mais para o norte, um efeito que pode ser conseguido por meio de truques, mas que requer conhecimento especializado.

Após o encontro, Spencer, que não permitiu que seu nome real fosse revelado, não buscou fama nem fortuna, apesar de muito dinheiro ter-lhe sido oferecido pela mídia. Do mesmo modo, Amiden tem recusado ofertas de dinheiro e nunca se expôs à publicidade. Nenhum dos membros de nossa equipe tem razões para duvidar da integridade ou da honestidade de Amiden.

Queremos ressaltar que a nossa equipe de pesquisa aplicou um método marcado por algumas características originais. Desde a primeira sessão, Amiden era considerado um "co-pesquisador", não um "sujeito de pesquisa". A hermenêutica foi utilizada como método para investigar significados profundos de fenômenos paranormais. Pela primeira vez, as leituras geomagnéticas e parapsicológicas foram combinadas na pesquisa, que se deu em um cenário natural, não em laboratório. Acreditamos que este método é viável e esperamos que surja outro "co-pesquisador" que possa tirar partido do que esses procedimentos têm a oferecer à ciência.

REFERÊNCIAS

ALCOCK, J. (1986). *Parapsychology as a "spiritual science"*. In P. Kurtz (org.), A skeptic's handbook of parapsychogy (pp. 537-565). Bufalo, NY: Prometheus.

KRIPPNER, S., Winkler, M., Amiden, A., Crema, R., Kelson, R., Lal Arora, H., & Weil, P. (1996). *Physiological and geomagnetic correlates of apparent anomalous phenomena observed in the presence of a Brazilian "sensitive"*. Journal of Scientific Exploration, 10, 281-98.

TRUZZI, M. (1997). *Reflections on the sociology of social psychology of conjurers and their relation with psychical research. In S.* Krippner (org.), Advances in parapsychological research (vol. 8, pp. 221-71). Jefferson, NC: McFarland.

CAPÍTULO 14

Algumas considerações sobre os fenômenos observados no Projeto Magenta, à luz da psicologia transpessoal

Pierre Weil

Como já é sabido, a Psicologia Transpessoal cuida mais especialmente do estudo da consciência e dos estados de consciência pelos quais passam as pessoas, assim como da realidade vivenciada em cada estado de consciência.

Começaremos por uma breve e, por isso mesmo, incompleta explanação dos estados de consciência descritos pela Psicologia Transpessoal. Depois iremos analisar em que estado se encontra Amyr. Estas considerações são importantes, pois desconhecemos estudos feitos sobre este assunto no que se refere especificamente aos processos de materialização.

OS ESTADOS DE CONSCIÊNCIA E AS MANIFESTAÇÕES PARANORMAIS

São principalmente quatro os estados de consciência estudados e comparados entre si, a saber: o estado de consciência de vigília, o estado de consciência de sonho, o estado de sono profundo sem sonho e o estado de superconsciência ou estado transpessoal propriamente dito.

O estado de vigília é o estado de consciência corriqueiro no qual nós estamos na vida cotidiana. As pessoas que estão neste estado dificilmente são sujeitas a fenômenos paranormais, pois nele predominam o raciocínio lógico, a imaginação e os sentimentos, as emoções e as sensações. Nele a respiração, o pulso e as ondas eletroencefalográficas estão dentro da normalidade.

O estado de sonho é um estado em que a consciência está cortada do mundo físico, pois está cortada das sensações do corpo físico. Nele só funcionam a imaginação e as emoções. Neste estado, a respiração e o ritmo cardíaco variam conforme o estado emocional, mas a tendência é uma diminuição do ritmo inclusive do eletroencefalograma que emite ondas alfa e teta. É neste estado que surgem a maioria dos fenômenos paranormais, chamados de PSI.

Estes fenômenos começam a se manifestar em estado de relaxamento profundo, quando aparecem as ondas alfa, com o ritmo respiratório e cardíaco bastante lentos. O estado de relaxamento é um estado intermediário entre o estado de vigília e o estado de sonho.

No estado de sono profundo, todos os ritmos fisiológicos acima citados são extremamente lentos, sendo que o eletroencefalógrafo assinala ondas teta e delta. Neste estado não há mais fenômenos paranormais aparentes, mas tudo indica que nele a consciência está em relação com o que os tibetanos chamam de Clara Luz, ou luz do espírito.

No estado de superconsciência ou estado transpessoal, há uma plena consciência que se manifesta como universal e não mais pessoal, em que se dissolve a ilusão da dualidade sujeito-objeto. Segundo o Mandukaya Upanishad, um dos textos básicos da yoga hinduísta, este estado seria caraterizado como sendo um somatório dos três estados precedentes. As medidas eletroencefalográficas confirmam este texto, já que se registrou em yogues em estado de superconsciência, chamado de *samadhi* na tradição hinduísta, ondas eletroencefalográficas delta, caraterísticas do sono profundo sem sonho, enquanto os yogues estavam completamente despertos e de olhos abertos.

Neste estado todos os fenômenos paranormais costumam aparecer, embora os verdadeiros mestres plenamente realizados não costumem fazer alarde dessas manifestações. Eles têm um completo controle das suas emoções destrutivas, inclusive o orgulho. Muito mais: eles manifestam, o tempo todo, amor verdadeiro e sabedoria infinita.

Vamos agora procurar situar os fenômenos manifestados na presença de Amyr em relação com as considerações e a descrição que acabamos de fazer.

EM QUE ESTADO DE CONSCIÊNCIA SE ENCONTRA AMYR?

Se olharmos em primeiro lugar os dados fisiológicos coletados durante a aparição dos fenômenos, é forçoso reconhecer que eles são indicadores de uma hiperatividade do ritmo cardíaco e respiratório. Isto parece ser algo constante pois, logo que conheci Amyr, já nas primeiras manifestações paranormais, ele fez várias vezes questão de me mostrar o quanto o seu pulso estava acelerado. Tanto é que ele teve vários acidentes cardíacos. Aliás, o seu cardiologista sugeriu a suspensão das experiências, um pouco antes da data que tínhamos marcado para fazermos mais um período de experimentação.

Estamos por conseguinte longe do estado transpessoal, ou mesmo simplesmente de relaxamento. Infelizmente não temos nenhum dado eletroencefalográfico, o que a gente pretendia obter na segunda fase que não houve.

Assim sendo, podemos constatar, mesmo sem registro eletroencefalográfico, um estado de grande agitação fisiológica.

Se observarmos o seu comportamento durante os fenômenos, este oscila entre uma atividade em pé como a de filmar, com o seu aparelho de vídeo, os próprios fenômenos e ficar sentado conversando normalmente ou expressando bastante entusiasmo pela beleza e aspecto maravilhoso dos fenômenos. Às vezes, mesmo ele fica deslumbrado com o ambiente de amor reinante, o qual, segundo ele, facilita muito a experiência. Há uma constante presença de espírito. Mas em momento nenhum notamos mudança de estado de consciência, o que não quer dizer que não os haja.

Cremos que seria necessária uma investigação mais pormenorizada para estabelecer com mais precisão em que estado de consciência Amyr se encontra durante os fenômenos. Além do eletroencefalograma, seriam necessárias entrevistas especialmente direcionadas para este fim. Como o objetivo das nossas observações não foi este, só nos resta aqui encerrar estas ligeiras considerações sobre o assunto.

Relatório de análise dos materiais
Anexo da parte analítica

Dras. Darci Motta Esquivel*, Eliane Wajnberg* e Ariadne do Carmo Fonseca**

METODOLOGIA DE ANÁLISE E RESULTADOS

Na determinação da maioria dos materiais foram empregadas as seguintes técnicas analíticas: características macroscópicas (cor, densidade relativa, dureza, etc.), microscopia óptica, difratrometria (EPR), fluorescência de Raio X (XRF) e ressonância eletromagnética (EPR). Somente em uma das amostras foi efetuada uma difração eletrônica em microscópio eletrônico de transição (TEM). Os materiais analisados foram:

— Um cristal incolor de 6 mm de diâmetro com forma lapidada octogonal.

*CBPF/CNPq. — Centro Brasileiro de Pesquisas Físicas/Conselho Nacional de Pesquisa Científica

**CBPF/CNPq/Geo-UFRJ — Instituto de Geologia da Universidade Federal do Rio de Janeiro

— Um pedaço de rocha de coloração verde-escuro + /- 2 cm^3 na forma de um paralelepípedo.

— Um cristal incolor de 2 mm de diâmetro, descrito como um diamante, uma concreção coletada na região de Campo Grande-MS.

As medidas de EPR foram feitas em temperatura ambiente no espectrômetro Brüker ESP300E, banda X, sem nenhum tratamento prévio da amostra, no laboratório de EPR do Centro Brasileiro de Pesquisas Físicas (CBPF).

Para microscopia óptica, as amostras foram montadas em epóxi (araldite) e posteriormente polidas em esmeril e pasta de diamante. O microscópio utilizado foi um Axioplan — Zeiss do Departamento de Geologia do Instituto de Geociências da Universidade Federal do Rio de Janeiro (IGeo-UFRJ).

No caso das análises para DRX e FRX as amostras foram pulverizadas na fração menor que 200 mesh. A marca de ambos os instrumentos é Philips. Parte das análises foi feita no CBPF e o restante no Laboratório de Mineralogia (Lamin) da Companhia de Pesquisa de Recursos Minerais (CPRN).

Cristal incolor de 6 mm de diâmetro com a forma lapidada octogonal

Essa mostra foi dividida em 4 partes:

- . uma delas foi designada para microscopia e características físicas;
- uma para XRD e XRF; uma para EPR e TEM e uma como "arquivo".

O teste de dureza (risco) deu um valor entre 7 e 8, isto é, tal parâmetro colocado na escala entre o quartzo e o topázio. A fratura é conchoidal. O sistema cristalográfico é isométrico, não apresentando defeitos, impurezas ou inclusões. A XRD confirmou o sistema cristalográfico isométrico, com uma composição estimada de zirconato de ítrio ou cálcio. Entretanto, as análises na TEM mostraram ser uma composição de zirconato de alumínio-cálcio. Complementando-o, a XRF já tinha demonstrado tratar-se de um zirconato puro.

Medida de EPR não produziu nenhum sinal, confirmando a ausência de impurezas e inclusões.

Não se encontra descrita na bibliografia especializada a ocorrência natural desse tipo de composição química. Esse cristal de composição *sui generis* é produzido industrialmente, com condições de temperatura (> 2000° K) e pressão de vapor (Blumenthal, 1958).

Pedaço de rocha de coloração verde-escuro de mais ou menos 2 cm³ na forma de paralelepípedo

A microscopia caracterizou a amostra como rocha composta de piroxênio, antibólio, bionita, apatita, carbonato, plagioclasio e minerais opacos. A XRD comprovou tal composição.

Cristal incolor de 2 mm de diâmetro, descrito como um diamante

Neste cristal não foi utilizada nenhuma técnica destrutiva. O índice de refração — número de cores observado a olho nu ao girar o cristal — e também o sistema isométrico determinado por microscopia óptica indicaram tratar-se de um diamante puro com poucas impurezas e sem inclusões (Hagiwara *et al.* 1988. Isoya *et al.* 1990).

REFERÊNCIAS

BLUMENTHAL, W. B., 1958. *The Chemical Behavior of Zirconium*. Nova York: Van Nostrand.

HAGIWARA, H., UEMURA, T., CHIBA, Y., End dat M., 1988.

ELECTONSPM Resonance off NI — Center in Diamond. *Journal of The Physical Society of Japan*, 57 (3); 741-43.

ISOYA, J.; KANDA, H.; NORRIS, J. R.; TANG, J. e BOUWMAN, MK.; 1990. Founer — transform end continuoos-wave — EPR studies of Nickel in synther diamond; Site and spin multiplicity. *Physical Review B.*, 41 (7); 3905 — 3013.